Business Skills
×
IT Skills

改訂新版

# Microsoft Teams 仕事術

椎野磨美

JN009387

技術評論社

【注意】ご購入・ご利用の前に必ずお読みください

本書に記載された内容は、情報の提供のみを目的としています。したがって、本書を用いた運用は、必ずお客様自身の責任と判断によって行ってください。これらの情報の運用の結果について、技術評論社および著者はいかなる責任も負いません。

本書記載の情報は、2022年７月現在のものを掲載していますので、ご利用時には、変更されている場合もあります。また、ソフトウェアに関する記述は、特に断わりのないかぎり、2022年７月現在での最新バージョンをもとにしています。ソフトウェアはバージョンアップされる場合があり、本書での説明とは機能内容や画面図などが異なってしまうこともありえます。

本書はWindows 11の環境で執筆しています。ご利用のパソコンのOSによっては、一部内容が異なることがあります。

以上の注意事項をご承諾いただいた上で、本書をご利用願います。これらの注意事項をお読みいただかずに、お問い合わせいただいても、技術評論社および著者は対処しかねます。あらかじめ、ご承知おきください。

---

Microsoft Teams、および本文中に記載されている製品名、会社名は、すべて関係各社の商標または登録商標です。なお、本文中に™マーク、®マークは明記しておりません。

# はじめに

## 「変化の先読み」「変化の先取り」仕事術

あなたの働き方は、働く場所に出勤する「リアル集合型」が主体ですか？

それとも、バーチャルな場所に集合する「オンライン集合型」が主体ですか？　もしくは、その両方の「ハイブリッド型」ですか？

図0-1のとおり、以前は、リアルな場所で、時間を合わせる「リアル集合型」の働き方が大部分を占めていました。2020年は、この「リアル集合型」に、バーチャルな場所で、時間を合わせる「オンライン集合型」の働き方が広がり、ニューノーマル時代の「ハイブリッド型」の働き方が始まった年といえます。2020年以降、あなたの働き方は、どのように変わりましたか？

**図0-1　働き方の変遷**

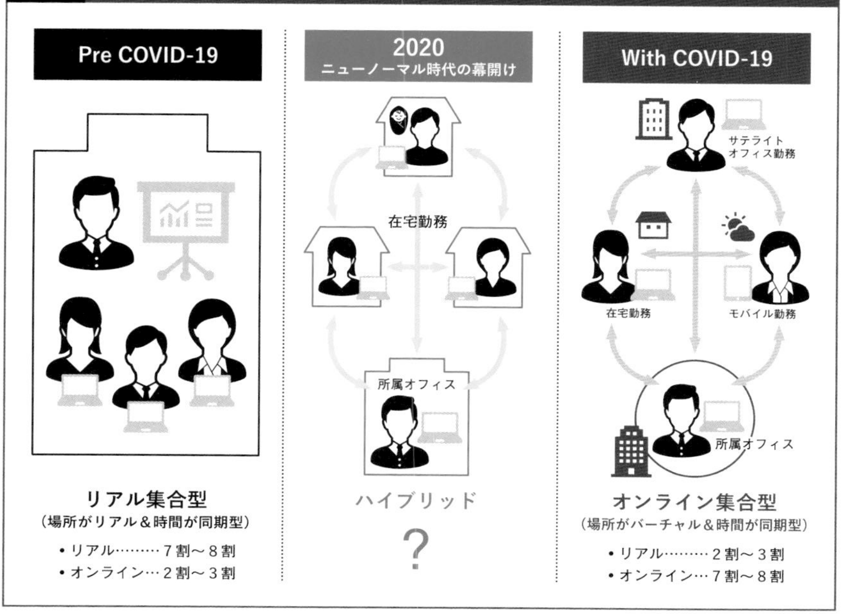

「ハイブリッド型」の働き方が広がるにつれ、「今までよりシゴトがやりづらい」「チームメンバーとの連携がうまくいかない」といったビジネススキルの相談と、「オンラインツールを使いこなしたい」「効果的に使うコツを教えてほしい」といったITスキルの問い合わせが多く寄せられるようになりました。今までと異なるのは、「できていると思っていたことが、実はできていなかった」と、**「自分のスキルの現在地」と「組織内のITリテラシーの差」を明確に認識された**方が増えた点です。たとえば、「Teamsの機能を使いこなしている」「ExcelやPowerPointを共有して説明する場面において、必要な修正や変更をその場で効率よく行える」など、ITスキルの差が如実に分かるといった具合です。

**「ハイブリッド型」の働き方は「ごまかし」が効かないため、これまでであれば隠すことができた「できるの差」を認めざるを得ない状況**です。オンラインになったことで問題が発生していると考えている方が多いのですが、**実際は、オンラインになったことで、スキルの格差が可視化されやすくなった**だけと言えます。変化の大小や違いはあっても、変化に合わせて「ビジネススキル」と「ITスキル」のアップデートが必要なことは、過去も現在も同じです。**変化への対応力をあげるためには、変化の「先読み」と「先取り」が大事なことは、いつの時代も変わらない**のです。

## 変化に強く、成果を出す「働き方」と「仕事術」

「働き方」の相談が寄せられる背景には、私の「働き方」があります。遠隔地の同僚とTV会議ができる環境で社会人をスタートして以来、今日に至るまでの約30年間、「オンライン集合型」は、私の「働き方」の1つの手段であり、とても身近なものです。また、「パラレルキャリア」が定義される前の1995年から、「組織のシゴト」と「個人のシゴト」を「パラレルキャリア」として続けてきました。このような「働き方」を続けられているのは、「リアル集合型」と「オンライン集合型」の特性を活かし、バランスよく「ハイブリッド型」で働ける環境があったからです。

本書の企画も、**複数の異なる企業文化の中で「ハイブリッド型」で働き、その「知識（理論）」と「経験（実践知）」から生まれた**ものになります。

ニューノーマル時代は、今まで以上に変化への対応力が求められています。変化に強く、成果を出す「働き方」をするには、日々の変化に気づき、「組織」と「個人」の両方が迅速に変化できる組織文化を醸成することです。「組織」と「個人」の両方に、解決する「意思」と「行動」があれば、「働き方」を改善できます。「改善できる」と断言する理由は、既存ルールに囚われず、改革を推進した結果、約１年で「働き方改革成功企業」として、初登場22位／4069社に選ばれた実績があるからです[※1]。

「働き方」を改善するには、次の３つを同時に推進する必要があります。

| |
|---|
| ①「制度」の導入（例：在宅勤務制度、テレワーク制度の導入） |
| ②「環境」の構築（例：PC、ネットワーク環境など、ITインフラ整備） |
| ③「意識」の改革（例：働くヒトの姿勢とスキルの修得） |

約30年間、「ハイブリッド型」で働いてわかったことは、「リアル集合型」と「オンライン集合型」を使い分けることで、より豊かで、より心地よい働き方を実現できるということです。

**図0-2　ハイブリッドな働き方**

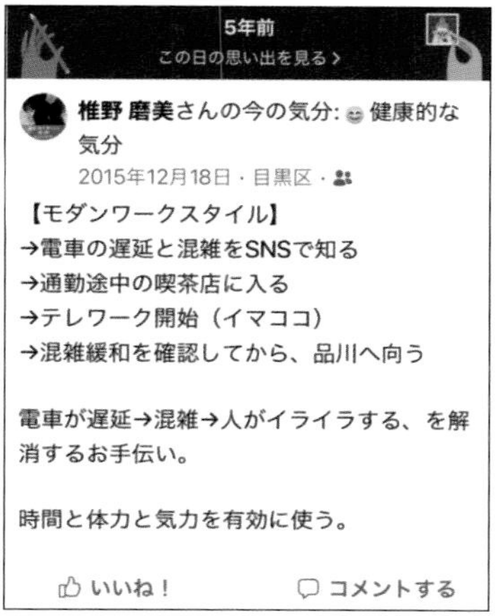
5年前
この日の思い出を見る >
椎野 磨美さんの今の気分: 健康的な気分
2015年12月18日・目黒区・
【モダンワークスタイル】
→電車の遅延と混雑をSNSで知る
→通勤途中の喫茶店に入る
→テレワーク開始（イマココ）
→混雑緩和を確認してから、品川へ向う
電車が遅延→混雑→人がイライラする、を解消するお手伝い。
時間と体力と気力を有効に使う。
いいね！
コメントする

そして、これまでの経験から、ハイブリッドな働き方の「働きづらさ」を大きく分けると、次の２つに起因することがわかりました。

※1：Vorkers（現openwork）調査の「2017年 働き方改革成功企業ランキング」による。
https://next.rikunabi.com/journal/20180731_c12/

- 「コミュニケーションの難しさ」に対処できない（ビジネススキル）
- 「オンライン」と「リアル」の使い分けがうまくいかない（ITスキル）

## Microsoft Teamsが選ばれる理由

今までの「リアル集合型」のビジネス習慣から一足飛びに「オンライン集合型」のビジネス習慣への対応が求められ、多くの組織は、既存の問題を抱えたまま、ニューノーマル時代に突入することになりました。既存の問題に新しい時代の「働き方」が加わったことで、問題がより複雑化し、どこから変えればよいかを整理できない組織も出てきました。その一方で、元々「ハイブリッド型」で働いている組織は、物理的移動がさらに減った分、時間をより有効に使えるようになり、成果をあげる働き方が加速しています。変化に対応できるか否かで、組織間の格差は広がるばかりです。

このような状況の中、Teamsのシェアが飛躍的に伸びている※2のは、Teamsは、オンライン会議、チャット、音声通話、共同編集といった、チームのシゴトに必要な機能をまとめて提供し、効率よく、効果的に、チームのシゴトを加速できるからです。さらに、議事録・記録の管理（OneNote）、タスクの管理（Tasks）など、Microsoft 365のほかのサービスと連携も可能です。

**図0-3　Microsoft Teamsで実現できること**

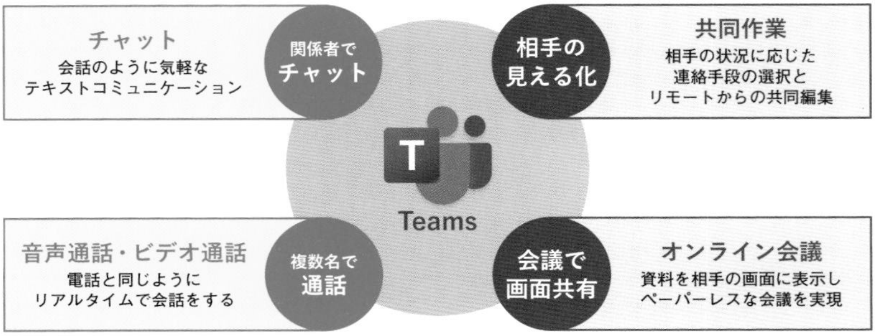


※2：１日当たりの利用者数は、2019年11月時点の2,000万人が、2021年３月時点で１億4,500万人まで増加。米国のFortune 100企業の93%、日本の日経225企業の94%（2021年３月時点）が利用（マイクロソフト発表）。

## 「ビジネススキル×ITスキル」書籍の誕生の背景

今までは、「伝える努力」や「スキル」が不足していても、お互いに相手の意図を察し合うことで、なんとなく通じていました。ところが、「オンライン集合型」になったことで、うまく伝わらない状況が発生するようになりました。うまく伝わらない原因の多くは、コミュニケーションスキルにあるので、ツールの使い方だけ習得しても、問題は解決しません。

問題を解決するには、「コミュニケーションスキル（ビジネススキル）」×「ツールを使いこなす（ITスキル）」の両方が必要です。そこで、「ハイブリッド型」な働き方に合わせて、「ビジネススキル」×「ITスキル」の「ハイブリッド型」書籍をつくることにしました。本書は、Teamsの使い方（ITスキル）と「効率的な会議」と「効果的なコミュニケーション」（ビジネススキル）の両方のスキルを習得するための実用書です。

「相手にうまく伝わらない」「相手の意図が分からない」といった「コジンの問題」と、「ムダなプロセスが多い」「ルールやプロセスが不明確」といった「チームの問題」を解決するため、「ITスキル」と「ビジネススキル」の両方の観点から、具体的なアクションを紹介しています。

働き方がどれだけ変化しても、そこに存在するのはヒトであり、共に働くチームがあることは変わりません。**ヒトが「意識」を変えて「行動」するには、行動に必要な「スキル」を身につける必要がある**のです。

本書が、あなたのシゴトと、あなたのチームのシゴトのお役に立つことを願っています。

2022年7月

椎野磨美

# 目次

## 第3章 会議のキホン



## 第4章 オンラインコミュニケーションを円滑にするコツ

# 第1章

# ニューノーマル時代の「働き方」と「仕事術」

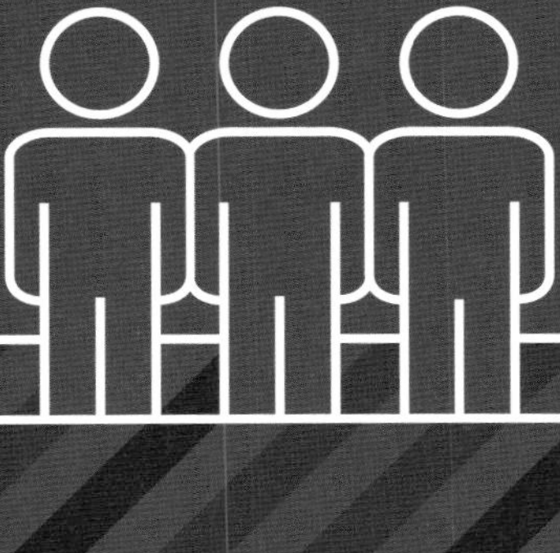

# Teamsで新しい働き方をはじめるための準備

早速、Teamsを使いはじめるための準備を進めましょう。Teamsを利用する場合、以下の3種類の方法があります[※1]。

**表1-1　Microsoft Teamsを利用する方法**

| 種類 | OSやブラウザの種類 |
| --- | --- |
| デスクトップ版<br>（アプリケーションとしてインストール） | Windows |
| | macOS |
| | Linux |
| モバイル版<br>（アプリケーションとしてインストール） | Android |
| | iOS |
| Webブラウザ<br>（最新バージョンとその前の2つのバージョン） | Microsoft Edge |
| | Google Chrome |

※一部の機能が未サポートであるWebブラウザは未掲載（2022年7月7日現在）

デスクトップ版のインストールは、Microsoftのサイト[※2]から可能です。

**図1-1　Microsoft Teamsのダウンロード**

※1：最新・詳細情報については https://docs.microsoft.com/ja-jp/microsoftteams/get-clients
※2：https://www.microsoft.com/ja-jp/microsoft-teams/download-app

なお、Teams会議に初めて参加する場合、アプリケーションをインストールするか、Webブラウザから参加するかを選ぶことができます。Teamsの基本機能は、デスクトップ版・モバイル版・Webブラウザで共通ですが、機能によってはデスクトップ版のみ可能なものもあります。

以降、本書では、Windows用のデスクトップ版をベースに説明します。



### Teamsアプリケーションの起動

Teamsアプリケーションの起動は［スタート］から行います。起動時にサインインを求められた場合は、組織から指示されたサインインアドレス（Microsoftアカウント）とパスワードを入力してください。

**図1-2　Microsoft Teamsの起動**

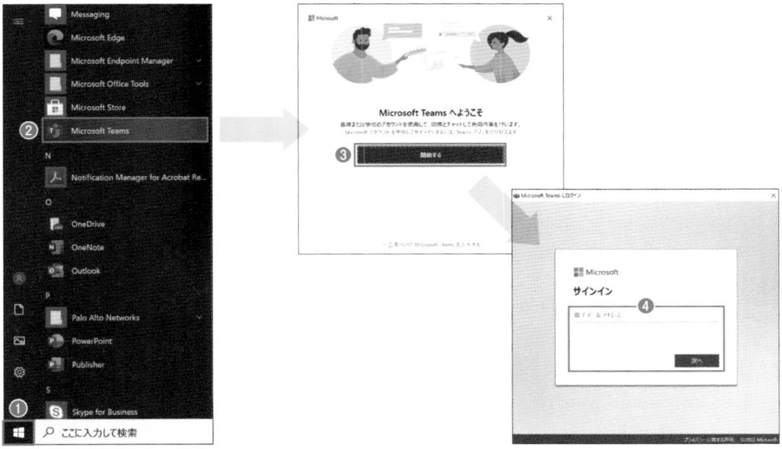


❶［スタート］をクリック　❷［Microsoft Teams］をクリック　❸［開始する］をクリック　❹サインインを求められた場合は、組織から指示されたサインインアドレス（Microsoftアカウント）とパスワードを入力して進める

## Teamsの画面構成

Teamsの画面は、大きく分けると4つのパートから構成されています。2章以降でそれぞれの役割を説明していくので、現段階ですべてを覚える必要はありませんが、簡単に確認しておきましょう。

## 図1-3　Microsoft Teamsの画面構成

❶アプリバー：[チャット][チーム][カレンダー][通話]など、各機能を使う起点
❷リストウィンドウ：アプリバーの各機能のアイコンをクリックすると、ビューが切り替わる
❸検索ボックス／コマンドボックス：メンバーやファイルの検索。コマンド入力でTeamsの操作が可能
❹メインウィンドウ：リストウィンドウで選択した項目のコンテンツが表示される

**アクティビティ（活動）**※
自分宛てのメッセージ通知や、自分の投稿履歴を表示

**チャット**
1対1またはグループでのチャットを開始

**チーム**
所属するチームやチャネルを表示

**カレンダー**
Outlookの予定表と連携。Teams会議の設定も可能

**通話**
メンバーとの音声通話、ビデオ通話

**ファイル**
Teams上で閲覧、編集をしたファイルの一覧

**その他（さらに追加されたアプリ）**※
Teamsで使用できるアプリを表示

2022年7月7日現在の表記。
※（）内は、2022年9月1日での表記。バージョンアップのタイミングで、日本語表記が変わる場合があります。

## Teamsの環境設定

Teamsを起動すると、画面右上に自分のアカウントアイコンが表示されます。アカウントアイコンの左側に表示される［…］をクリックすると、Teamsの環境設定やキーボードショートカットの一覧表示、アップデートの確認などを行えます。

**図1-4 Teamsの環境設定**

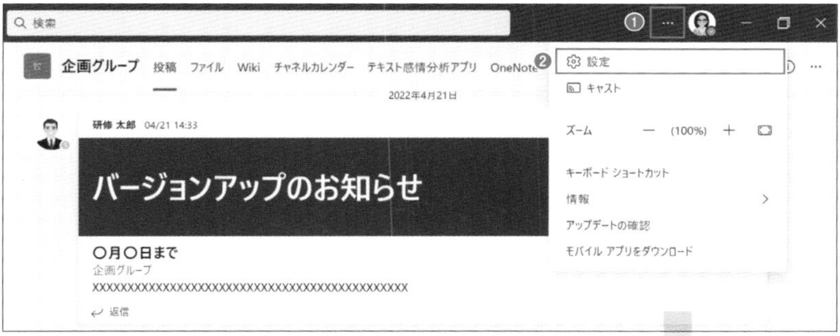


❶アカウントアイコンの左側に表示される[…]をクリック
❷[設定]をクリック
❸「設定」画面が表示される

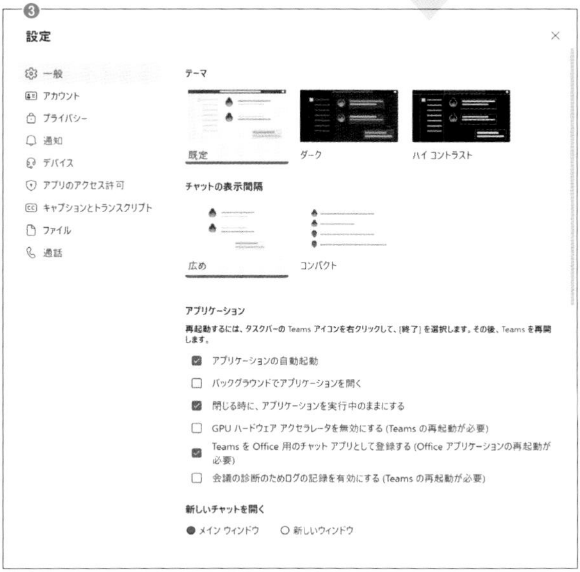

# Teamsのコンセプトを理解する

あなたは、シゴトで必要な「情報」をどのような形で伝えたり、整理したりしていますか？　日々のシゴトの中で、メール、チャット、対面（リアル・オンライン）での会話、会議での議論など、大量の「情報」をさまざまな形で共有し、必要に応じてファイルなどにまとめていると思います。

ところで、あなたの属する組織やチームは、「情報」をどのように管理するか、ルールを決めていますか？　たとえば、作成したファイルをどのように管理するか（保存場所、保存期間、フォルダー構造、命名規則など）を決めていますか？

図1-5　Teamsによる「情報」の管理

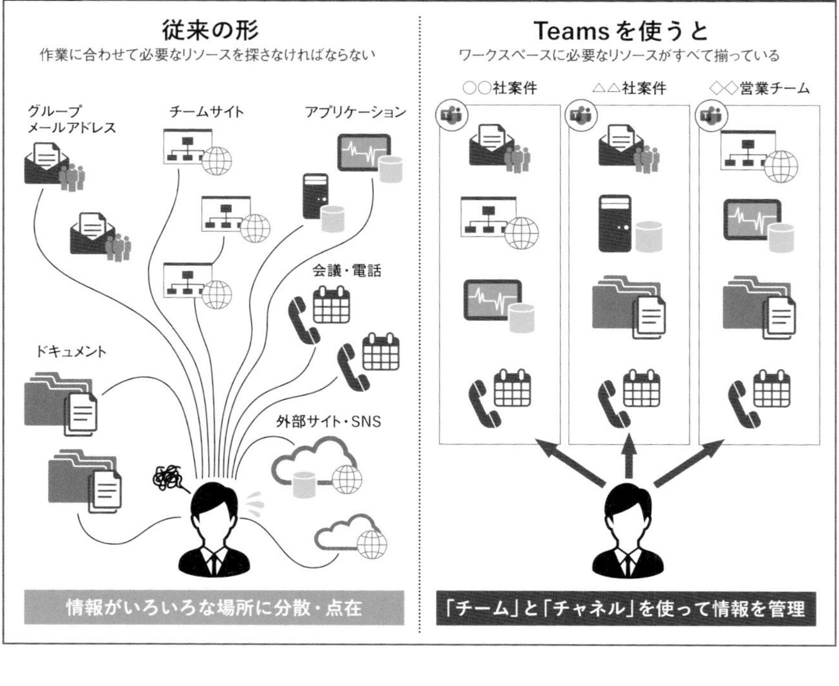

「ルールが決められていない」「ルールが形骸化している」といった場合、あとから必要な情報にアクセスする際、情報を探すための手間や時間が増えることになります。

Teamsは、効率よく業務を行えるよう、**情報や機能を集約し、「情報の見える化」と「業務の見える化」を実現する**プラットフォームとして設計されています。

**表1-2　Teamsによる情報と機能の集約**

| テレワークに必要な主なツール | サービス名 | サービス名 |
|---|---|---|
| オンライン会議(Web会議) | Microsoft Teams | Zoom、WebEx |
| ビジネスチャット | | LINE WORKS、Slack、ChatWork |
| オンラインストレージ | | OneDrive(※Teamsと連携)、Google Drive、Dropbox Business |

## 「チーム」と「チャネル」の役割を理解する

Teamsの特徴は、「チーム」と「チャネル」という2つの階層構造になっている点にあります。チームの方が大きな単位で、チームの中にチャネルを複数作成できるようになっています。Teamsで「情報の見える化」と「業務の見える化」を効果的に行うためには、「チーム」と「チャネル」の違いを理解することが重要です。

**図1-6　Teamsの「チーム」と「チャネル」**

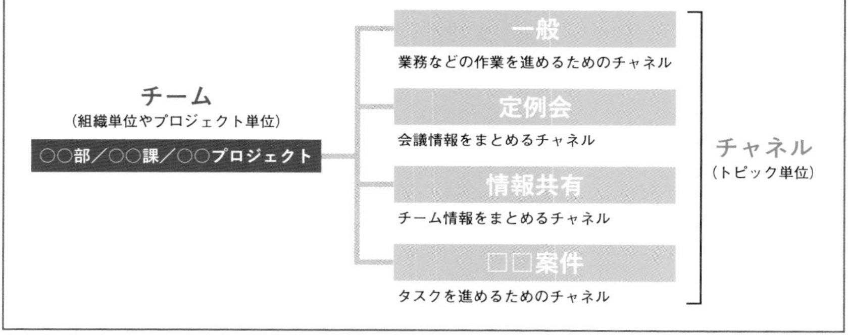

Teamsの**チーム**は、同じ目的の業務を行うメンバーをまとめる単位です。例えば、部や課のような組織単位、複数の部や課にまたがったプロジェクトチームといった、共同で作業するメンバーをまとめる目的で作成します。

チーム内のチャット（「チャネル」の投稿）やファイルは、チームに所属するメンバーだけが見ることができます。つまり、情報セキュリティの境界線がTeamsのチームであると言い換えることもできます。

Teamsの**チャネル**は、チーム内の情報をさらに整理するためのカテゴリとして作成します。それぞれの「チーム」の中で、定例会、ワーキンググループ、専門分野など、トピックやテーマごとに作成することで、チャットや共有ファイルや会議などの「情報」を分類、整理できます。

**図1-7　Teamsの構造は「チーム ⇒ チャネル ⇒ 情報」**

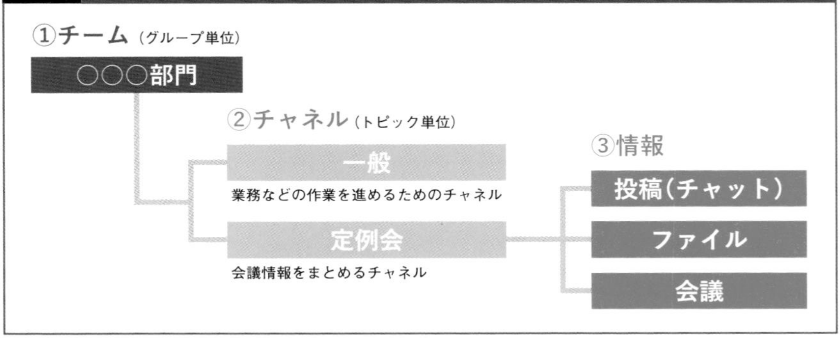


たとえば、関係性のない「A社案件」と「新規事業プロジェクト」の話が、同じ場所でチャットされている場面を想像してみてください。あらかじめ「案件管理用」「新規事業用」にチャネルを分け、それぞれのチャネルでチャットされていた方が、話の流れが分かりやすく、後から情報を探す際に探しやすいと思いませんか？ **「チーム」はメンバー（ヒト）をまとめる単位、「チャネル」はチャットやファイルの「情報」をまとめる単位**と考えると分かりやすいかもしれません。

## Teamsを使いこなすために必要な、もう1つの「準備」

ここまでで、「Teamsを使いはじめる準備が整いました」と言いたいところですが、**本書の目的は、「ITスキル」と「ビジネススキル」の両方を身につけ、「仕事術」を磨くこと**です。ITスキルとして「使い方」を習得することは必須ですが、機能の「使い方」だけを捉え、本質を理解していない場合、本当の意味でスキルを身につけているとは言えません。なぜなら、基本的な使い方はできても、応用的な使い方ができないからです。

「日本は、ITリテラシーが低い」「日本は、世界に比べてデジタル・トランスフォーメーション（DX）[※3]が遅れている」という話を見聞きしたことがある方も多いと思います。「世界デジタル競争力ランキング2021」によると、日本は64カ国中28位で、前年の27位からさらに順位を下げている状況です[※4]。

日本のITリテラシーやデジタル競争力が低下している原因は、IT化やデジタル化の際に、**形だけ導入しようとする傾向があり、製品やサービスがどのような「コンセプト」や「思想」で作られているかの理解が不足している**点にあると考えています。製品やサービスの機能の○×表だけを見て判断し、形だけ導入しようとすると、「コンセプト」や「思想」という本質が置き去りにされてしまうのです。

**本質が理解できていると、機能を探したり、進化を予測したりできるので、より便利な使い方ができます。**「Any device. Any network. Anywhere」というTeamsの「コンセプト」が持つ意義と時代背景（ニューノーマル時代）を理解したとき、Teamsを真に使いこなすことが可能になります。

そこでTeamsの具体的な「使い方」を説明する前に、1章の残りの節では、技術進化の背景を理解し、モノゴトの本質を捉える力を磨くために必要なことについて説明しておきたいと思います。このまま1章から順番に読んでいくことをおススメしますが、**Teamsの具体的な「使い方」を先に習得したい方は、2章以降を先に読んでからこの後に戻ってくるという形でも問題ありません。**

※3：エリック・ストルターマンが提唱した「ITの浸透が、人々の生活をあらゆる面でより良い方向に変化させる」という概念。
※4：https://worldcompetitiveness.imd.org/rankings/digital

# 「時間を圧縮する」で時間を生み出す技術

絶え間なく「ヒトが移動する」が前提だった世界が大きく変わった2020年。「シゴトのためにヒトが移動する」が前提であった世界に、「ヒトのいる場所にシゴトが移動する」働き方が広く認知された年と言えます。

「ヒトが移動する」前提の世界では、電車や飛行機といった「移動手段」を進化させ、より速く、より遠くまで移動することを可能にしました。**モノを機械化・高速化し、所要時間を圧縮することで「時間」を生み出してきた**のです。また「再生化」として、「録画」という概念を実現するモノやサービスを作り出し、物理的には不可逆的な「時間」を、まるで時間の巻き戻しができるかのように、**過去のモノやコトを「情報」として未来に共有**できるようにしました。「録画」の技術は、欠席した会議内容を「情報」として受け取れるようにしただけでなく、**再生スピードを高速化することで、実際の会議時間より短い時間で会議内容を把握することも可能**にしました。ヒトは技術による「○○化」を推進し、「シゴトが移動する」を実現してきたのです。

**Teams会議の「録画」**

Teams会議の機能の１つに「録画」があります。録画機材を用意しなくても、Teams会議だけで簡単に「録画」ができます。

欠席した会議であっても、録画した映像があれば、議事録の文字だけでは分かりづらい会議の詳細、発言者の表情や声色、共有された画面など「モノゴトが決まるまでの経緯」を完全な形で再現・共有が可能です。

Teams会議では、「トランスクリプト（文字起こし）」機能によって議事録作成時間を短縮できるようにしたり、「ライブキャプション」機能によって話しているヒトの言葉を字幕表示したり、機能追加や改善が次々と行われています（Teams会議の詳細については、第３章で紹介します）。

## 「時間の圧縮」を妨げる「習慣」を見直す

しかし、モノの進化だけでは解決できない問題があります。それは、**ヒトの「思考」や「行動習慣」が引き起こす、「所要時間の増加」**です。

日本の「働き方」の問題として「残業時間が多い」「会議時間が長い」といった話が至る所から聞こえてきますが、組織の「環境（IT基盤）」や「制度（人事制度）」を整えたとしても、そこで**働くヒトの意識（「思考」と「行動」）が変わらなければ、「働き方」の問題を解決することはできません。**たとえば、効率よく実施すれば30分でできる会議を、１時間、２時間かけて実施している場合、いくら「録画」の再生スピードをあげても、ムダな時間が多いという問題そのものを解決することはできないからです。

そこで「思考」と「行動習慣」を見直すために、次の３つの問いに答えてみてください。

【問１】あなたは、自宅からある目的地（例：東京タワー）に、決められた時間（例：12時）までに移動する必要があります。移動中に予定していた経路で問題が発生し、その経路が使えなくなりました。あなたは、最初に何をしますか？

Ａ：目的地に到着するために、別の経路や代替手段を考える

Ｂ：なぜ、その経路で問題が発生したのか、原因を考える

Ｃ：その他

【問２】あなたは、営業チームのマネージャーで、チームの予算の責任者です。期末まで残り３か月ですが、チームの予算が未達成の状況です。チームメンバーのうち、５名は個人予算を達成していますが、残り２名は個人予算を達成していません。あなたは、最初に何をしますか？

Ａ：残り２名と一緒に、個人予算を達成していない原因を分析する

Ｂ：残り２名と一緒に、個人予算を達成できるように対策を考える

Ｃ：その他

【問３】ある場所に井戸を掘る必要があります。井戸を掘るために、あなたは、作業者のＡさんにスコップを渡して、毎日10mずつ掘り進めるように指示を出しました。ある日、途中に大きな岩があり、７ｍしか掘り進められず、３m残ってしまったとＡさんから報告がありました。あなたは、何が「問題」だと思いますか？

【問１】について、あなたはどれを選んだでしょうか？　この質問は、多くの方がＡを選びます。その理由は、**「問題」を解決する方法が存在し、それを使うことで、自分の「目的」が達成できることを知っているから**です。経路検索アプリケーションに、「現在地」と「目的地」を入力すれば、経路、乗換回数、時間、費用が算出され、目的を達成するための「解」が示されます。

では【問２】はどうでしょうか？　個人予算が未達成の２名の「原因分析」または「対策」を先に考えましたか？　それとも「その他」で、「チームとして何ができるか」を先に考えましたか？　たとえば、２名に対する「原因分析」や「対策」ではなく、個人予算を達成している５名の営業能力が高いと考え、「５名に対して追加で契約をとってくるよう指示を出す」という案を考えましたか？

「問題が発生したら、最初に原因分析が必要」と考えることが無意識な思考習慣になっている場合、原因追求や分析に時間がかかり、目的を達成できない場合があります。【問２】のポイントは、残り３か月でチーム予算を達成するために、確度の高いことを優先的に行う必要があるのです。ここで伝えたいことは、**「目的達成」を最優先に考えた場合、チームの目標を達成した後で、２人の原因分析をするやり方（順番）を考えたかどうか**という点です。

最後に【問３】について、あなたは何が「問題」だと考えましたか？

- スコップを使っていたこと
- 事前調査が足りなかったこと
- １人で掘っていたこと
- 岩があること

これらはいずれも、「問題」を引き起こしている「原因」です。「問題」は、「目的」を達成するために障害になっている事柄、つまり「３m残ってしまっている」ことなのです。「原因追究」思考になっていると、無意識に「問題」そのものより、それを引き起こしている「原因」に思考が向きやすくなります。

「問題」が発生すると、過去に起きた出来事の「原因追究」ばかりが優先され、本来の「目的達成」が遅れてしまっている場面をさまざまな所で目にします。同じミスを繰り返さないために、原因分析し、改善することは重要ですが、いつ原因分析を行うか、モノゴトを実施する順番も重要です。

**考える「方向」と「順番」を変えることで、目的達成までの時間は変わります。決められた期日までに「目的」を達成するには、「原因追究」ばかりを優先するのではなく、自分の思考を鍛え、考える順番を意識することが大切**です。

図1-8　「原因追究」思考と「目的達成」思考

## 「複数のコトを同時に実行」で時間を生み出す技術

「機械化」と「自動化」は、ヒトがコトに関わる時間を最小化し、コトからヒトを開放することに成功しました。**開放された時間を他のコトに使えるので、複数のコトを同時に行うことができます。**たとえば、ドラム式洗濯機で洗濯を、掃除ロボットで掃除を全自動化した場合、開放された時間を他のコトに使うことができるといった具合です。

そして、技術の進歩によるモノの「小型化」と「携帯化」によって、「同時に実行」の可能性はさらに広がっています。約40年前、ソニーのウォークマンは「音楽を聴く」＋「移動する」という２つのコトの同時実行を可能にし、「音楽を持ち歩く」という新常識を作りました。これが今のライフスタイルの常識・常態として根付いていることに、異論を唱える方はいないと思います。同じように、スマートフォン上で簡単に「会議」ができるTeamsは、「会議をする」＋「移動する」という同時実行を可能にしてくれます。これはまさに、「会議を持ち歩く」という新常識を提案するものだと言えるでしょう。

**スマートフォンで、Teams会議を持ち歩く！**

iPhone用とAndroid用のTeamsモバイルアプリケーションを利用すれば、別の場所への移動中であっても、スマートフォンからTeams会議に参加できます。Teamsでは、他のデバイスからのシームレスな切り替え機能が提供されているので、スムーズな切り替えが可能です。

たとえば、PCで参加しているTeams会議の途中で、別の場所に移動しなければならない場合、同じ会議にスマートフォンから参加すると、スムーズにPCからスマートフォンに切り替え、Teams会議に参加し続けることができます。

## 「同時に実行」を効率的にする「プロセス思考」を磨く

「同時に実行」もまた、モノの進化だけでは上手くいかない側面があります。より効率的に行うためには、「プロセス（過程）でモノゴトを考える」ことが重要になってきます。

ヒトの手で行っていることを、機械化したり、IT化したりするためには、導入コストがかかります。機械化やIT化が遅れている組織は、導入にかかる金額だけに着目してしまいがちですが、それでは大事なポイントを見落としてしまいます。

そこで図1-9の例のように、作業のプロセスを整理し、「機械化」「自動化」できる部分とできない部分を区別すると、問題の本質が見えてきます。

自動化で効率的になる過程、機械化すると付加価値がつく過程については「同時実行」することで、仕事のパフォーマンスを最大化できるようになるのです。**ヒトがヒトにしかできないコトに時間を割き、効果・効率を上げるためには、プロセス思考を鍛えることが重要**です。

**図1-9　プロセスから導入コストを考える**

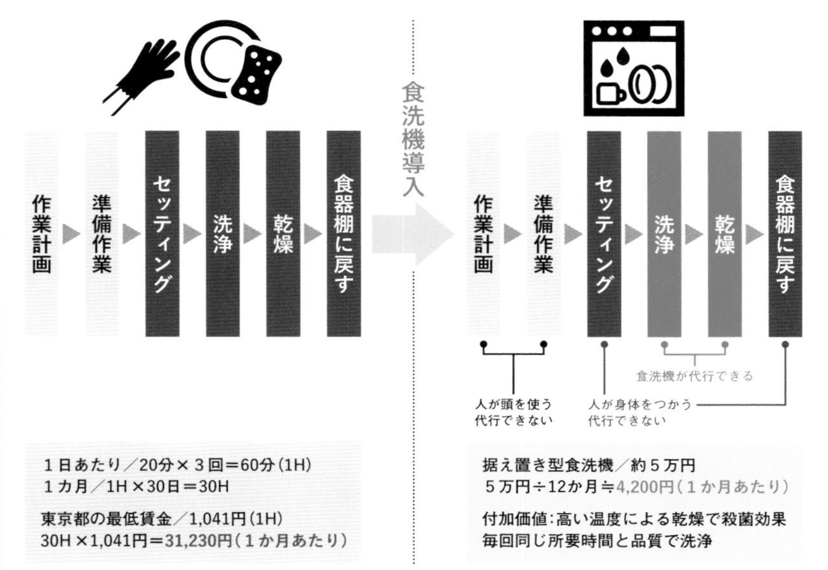

## シゴトを「一連の流れ」として「見える化」する

「同じミスがなくならない」「いつまで経っても改善されない」組織の共通点としても、「プロセス思考」でモノゴトが考えられないことを挙げることができます。たとえば、ミスをした相手に「再発しないように注意してください」と注意だけを行っているケースです。また、始末書だけ書かせて終わりという組織もあるかもしれません。始末書に再発防止案を書かせても、再発防止の仕組みがプロセスに組み込まれていなければ、同じミスが発生するリスクは減らないのです。

シゴトを「一連の流れ」として「見える化」すると、同じチームで一緒にシゴトをしていても、ヒトによって考える「粒度」が異なることが分かります。**粒度の差は異なる解釈を生み、プロセスの過不足や問題を発生させます。粒度を揃え、プロセスの過不足を顕在化させることが、組織の問題や課題を改善する第一歩**なので、各自が実行しているコトを「一連の流れ」として「見える化」し、チームで確認することをおススメしています。

**図1-10　プロセスを考える**

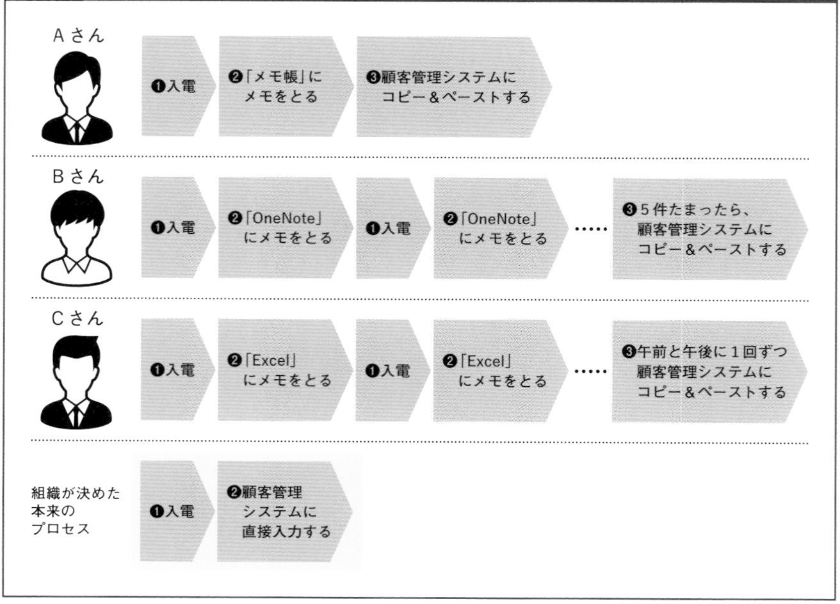
Aさん
❶入電
❷「メモ帳」にメモをとる
❸顧客管理システムにコピー＆ペーストする
Bさん
❶入電
❷「OneNote」にメモをとる
❶入電
❷「OneNote」にメモをとる
……
❸5件たまったら、顧客管理システムにコピー＆ペーストする
Cさん
❶入電
❷「Excel」にメモをとる
❶入電
❷「Excel」にメモをとる
……
❸午前と午後に1回ずつ顧客管理システムにコピー＆ペーストする
組織が決めた本来のプロセス
❶入電
❷顧客管理システムに直接入力する

図1-10は、組織が決めたルール（プロセス）は理解しているけれど、ヒトによって異なる方法が行われていた事例です。この状況が発生した背景には、顧客からの入電が増え、コールセンターの人員を増やした結果、顧客システムへのアクセス数が増え、システムのレスポンスが悪化したことにありました。

Aさんも、Bさんも、Cさんも、コピー&ペーストにより、「自分のプロセスが増えていること」「転記ミスのリスクが増えること」を認識していたにも関わらず、応答率達成という目標のために、「ルール」に反していたことになります。

## 「ルール」や「システム」は、シゴトを減らすためにある！

「ルール」や「システム」を策定する側が、「ルールに従って行動してください」「システムを使ってください」と声かけをしても、それだけではヒトは動きません。「なぜ必要か」と説明をしただけでも動きません。

「ルール」や「システム」は、ヒトのミスを減らし、シゴトを減らし、ヒトを楽にするためにつくるものです。ところが、「ルール」や「システム」が、ヒトのシゴトを増やしているのは、一方向の視点だけでつくられた「ルール」や「システム」が多いからです。**誰かの作業が減っても、別の誰かの作業が増えているのであれば、それは、全体として、シゴトが最適化されているとは言えません。**

業務プロセスを改善するには、プロセスを「見える化」したら、1つ1つのプロセス（作業）を3つの観点でチェックします。

- その作業は、誰かを笑顔にする作業かどうか？
- その作業は、自分のシゴトも、相手のシゴトも減らしているか？
- その作業は、自動化できるか？

**ある時点で最適化された「いつもやっていること」は、必ずしも、今に最適化されているとは限らない**のです。

# 「場所と時間の壁を超える」で時間を生み出す技術

遠隔地をつなぐTV会議システムが誕生し、「オンライン会議」が会議形態の１つになってから約40年が経過しました。誕生当時は一部の企業でのみ導入されていた仕組みが、技術進化によって「TV会議システムが使える物理的会議室」という制約がなくなりました。多くのユーザーが先端的な技術や製品を安価で使えるようになったことで、「どこにいても、一緒に働く（Work Together Anywhere)」環境を手に入れることが容易になりました。

「ヒトのいる場所にシゴトが移動する」働き方の中心にTeamsがあるのは、Teamsが、**ヒトとヒトをつなぎ、コミュニケーションとコラボレーションを促進し、チームワークを加速させるための環境を提供するサービス**だからです。「Any device. Any network. Anywhere」は、Teamsのルーツである、Microsoft Lync 2010※5の登場時から変わらない、オンラインコラボレーションツールとしての「コンセプト」です。

「ビデオ会議、音声通話、チャットを使って他のヒトと会話」「デスクトップやアプリケーションの共有機能を利用してリアルタイムで共同作業」を、どのデバイスからでも、どのネットワークからでも、どこからでも実現します。Lync→Skype for Business→Teamsと名前は変わっても、ヒトがどこにいても一緒に働ける環境を提供するという「コンセプト」は変わらず、10年以上前からサービスを提供し、進化を続けているのです。

ただし2020年までは、一部の組織を除き、多くの組織やヒトにとって、「仮想空間に集合する」ことは非日常であったことも事実です。ところが2020年１月から始まったCOVID-19の世界的な感染拡大によって、組織やヒトが、望む、望まないに関わらず、「仮想空間に集合する」技術を使うことが求められました。そして、2年が経過した今、「仮想空間に集合する」働き方は、選択肢のひとつとして認知されるまでになりました。

※5：Microsoft Lyncの前身には、Office Communicatorがある。

**図1-11　どこにいても一緒に働く**

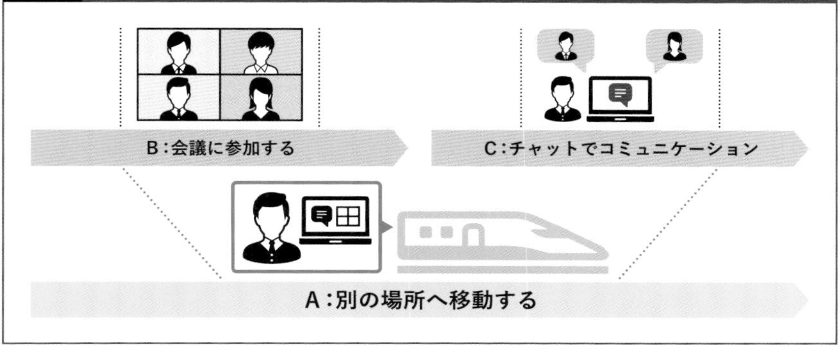


　これまでであれば、ヒトが段階的に受容することで、徐々に社会の常識・常態として浸透していくはずのものが、社会的に大きな影響を与える出来事によって、急速に浸透・定着させる必要があることを、私たちは実体験として知っています。COVID-19の世界的な感染拡大のように、**社会的に大きな影響を与える出来事が避けがたい構造変化をひきおこし、新常識・新常態が生まれ、それらが社会に浸透・定着するまでの転換期のことを、本書ではニューノーマル時代と定義**します[※6]。

　COVID-19がもたらした「ヒトが移動できない」という避けがたい構造変化は、「シゴトのためにヒトが移動する」世界を「ヒトのいる場所にシゴトが移動する」世界に変えるといった、ニューノーマル時代の働き方を可能にしました。この変化に対応するには、特定の場所に移動しなければできないシゴトかどうかを見極め、ニューノーマル時代のハイブリッドな「働き方」である「リアル集合型」「オンライン集合型」「ハイブリッド集合型」を使い分け、特性にあった「仕事術」を駆使する必要があります。

## ワークスタイルを変える？　シゴトの価値を変える？

「ヒトが移動できない」構造変化に対応する場合、従来の方法や提供価値を変えることで、変化に対応できるシゴト、できないシゴトがあります。

　ニューノーマル時代は、避けがたい構造変化にどれだけ早く対応できるかで、シゴトが存続できるかどうかが決まると言っても過言ではありません。

※6：「ニューノーマル」という言葉は、2007年～2008年の世界金融危機以降、危機の前後で生じた、社会的に避けがたい構造変化を経て「新しい常態・常識」が生じている状態を意味する言葉として使われ始めた。

**表1-3　提供する価値と提供方法の変更**

| 対応 | 提供する価値 | 職種 | 変更内容（Before➡After） |
|---|---|---|---|
| 可 | ①提供する価値は変わらない<br>（ワークスタイルを変更） | 営業 | 対面➡オンラインセールス |
| | | シェフ | 対面➡テイクアウト／デリバリー |
| | ②提供する価値を変える<br>（シゴト内容を変更） | シェフ | 食事の提供<br>➡ミールキット宅配サービス<br>（再現するレシピと材料の提供）<br>➡オンラインクッキング<br>（料理のつくり方を教える） |
| 不可 | ③価値は変えられない | ドライバー | |

## シゴトの価値を整理する

「働き方」を整理する場合、最初に確認するのは、**シゴトによって提供される価値そのものに変化があるかどうか**という点です。表1-3の①の場合、「働き方」が「対面（物理的な仕事空間）」から別の方法に変わったとしても、シゴトが提供する価値そのものは変わりません。営業のシゴトは、販売する製品やサービスの価値を顧客に伝え、契約を結ぶことであり、シェフのシゴトは、料理をつくり、顧客に提供することです。

つまり、「働き方」は変わっても、顧客に提供するモノやサービスの価値は変わらないのです。提供するモノやサービスの価値は変わらないにも関わらず、成果が出ない場合、**原因の多くは、「働き方」の違いではなく、「働き方」に適した対応、変化への対応ができていない点**にあります。

表1-3の②の場合、提供する価値そのものを変えることで、今までとは異なる価値を顧客に提供することができます。①のシェフが提供する価値は完成した食事ですが、②はシェフのレシピやつくり方といった新しい価値であり、その価値を提供するのに適した「提供方法」や「働き方」を選ぶことになります。

表1-3の③の場合、ドライバーのシゴトは、モノやヒトを正確に目的地に届けることです。ドライバーのシゴトは、モノやヒトの物理的な移動を伴うので、「ヒトが移動できない」構造変化に対応するため、ドライバーの「働き方」そのものを大きく変えることは難しいといえるでしょう。

## シゴトを「場所」と「時間軸」で整理する

「働き方」を整理する場合、図1-12のように、シゴトを「場所」と「時間軸」で分別し、そのシゴトにリアルタイム性や同期性が必須かどうかを見極めます。こうすることで、「リアル集合型」で提供していたシゴトを「オンライン集合型」で実現できるかどうかを整理しやすくなります。

変化への対応は急務ですが、すべてのシゴトを変化に合わせて変えられるわけではないので、今まで以上に「変えられること」と「変えられないこと」を明確にする必要があります。特に、**自分のシゴト、チームのシゴトで「リアル集合型」でしかできないと思い込んでいるシゴトが「オンライン集合型」で可能かどうか、今まで変えられないと考えていたコトを変える必要があるのであれば、どうしたら変えられるかを考える**ことが重要です。

**図1-12　場所と時間軸でシゴトを整理する（例：営業のシゴト）**

| | | 時間 | |
|---|---|---|---|
| | | 合わせる（同期） | 合わせない（非同期） |
| 場所 合わせる | リアル | 顧客オフィスの会議室で行う商談 | 商品カタログ（紙）を顧客に郵便で送付する |
| 場所 合わせる | オンライン | オンライン会議で行う商談 | 商品カタログ（デジタル）を顧客にメールで送付する |
| 場所 合わせない | リアル | 不特定先に行う飛び込み営業 | 営業活動報告書の作成（紙ベース） |
| 場所 合わせない | オンライン | 営業時間内に行うテレセールス | 営業活動報告書の作成（システム） |

## クリティカルシンキングで変化に対応する

それでも、時代にあわせて変化していくのは難しいことです。「前例にないから」「前例に従って」という言葉につい流されてしまうこともあるかもしれません。変化を受け入れ、より豊かで、幸せな働き方を実現するためには、常に目的を意識し、感情や主観に流されることなく、自分の考えや意見を客観的にとらえ、変化を先読みし、モノゴトを判断するスキルが必要になります。

このスキルのベースになるのが、**クリティカルシンキング**（Critical Thinking）です。日本語では「批判的思考」と訳され、「目的は何なのか？」「本当にこれでよいのか？」と、情報を鵜呑みにせず、疑問を持ち、常に問い続ける思考法です。

クリティカルシンキングについて考えるため、本章では最後に次の問いを考えてみてください。

【問４】日本のおとぎ話のひとつに「浦島太郎」があります。一般に知られている「あらすじ」は、亀を助けた恩返しとして、龍宮城に連れて行かれた浦島太郎は、乙姫から「もてなし」を受けます。その後、浦島太郎が帰郷する際、乙姫から「開けてはなりません」と念押しされた玉手箱が渡されます。そして故郷に戻った浦島太郎が玉手箱を開けると、白髪の老人に変わるという話です。

亀を助けてくれた浦島太郎に、なぜ、乙姫は、開けると老人になる玉手箱を、わざわざ「開けてはなりません」と念押ししてまで渡したのでしょうか？

あなたはこれまで、開けると老人になる玉手箱を、乙姫が浦島太郎に渡したことに「疑問」をもち、その「目的」を考えたことはありますか？

また、「疑問」をもった場合、仮説を立て、根拠となるデータを探し、仮説を検証したことがありますか？ 「昔話とはそういうものだ」と「疑問」を持たず、「目的」を考えたことはない方も多いのではないでしょうか。

この例からも分かるように、クリティカルシンキングは身につけることが難しいスキルの1つです。すでに問題や課題として認識できているコトであれば、ロジカルシンキング※7やシステムシンキング※8を使って、要素分解し、整理すれば解決可能です。しかし、**前例や慣例として踏襲されているコトや常識とされているコトについては、常に問い続ける意識をしていなければ、あらためて「疑問」を持ったり、「目的」を考えたりすることはない**でしょう。

また仮に、何かに対して「疑問」を持ったとしても、「疑問」に対して仮説を立て、さまざまな観点のデータを集め、仮説検証し、理論や結論を導き出すことは困難な作業です。

**図1-13 「クリティカルシンキング」と「ロジカルシンキング」**

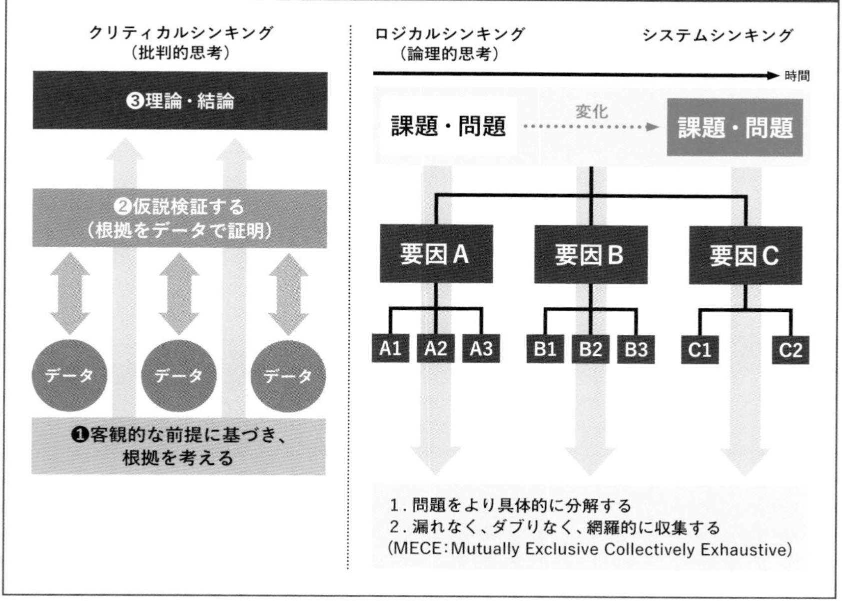


※7：「種類がたくさんあるという複雑さ」を対象とし、主に物事を分析し、切り分けて、要素還元型のアプローチを取る思考法。
※8：「動的な複雑さ」を対象とし、物事が時間を経てどのように変化をしていくのか、その仕組みを解析し、部分よりも全体としてのつながりや相互作用といった営みに着目をする思考法。

それでも、クリティカルシンキングは、ビジネスパーソンの必須スキルと言えます。図1-14では、クリティカルシンキングの基本姿勢である３つの要素をまとめました。

まず、どのようなときも、「目的」を意識することが大切です。たとえば、「その機能は何のために存在するのか？」「この会議は何のためにやっているのか？」といった具合に、常に「目的」を確認する習慣を身につけます。

また、同時に、モノゴトの「前提」を確認する習慣も身につけます。関係者の前提がズレたままモノゴトを進めると、トラブルが発生したり、期待とは異なる結果になったりします。「目的」も「前提」も、言語化することで、関係者の認識のズレを減らすことができます。言わなくても分かるではなく、関係者が同じ認識になるよう、共通の「言葉」で確認するようにします。

さらに、情報を鵜呑みにするのではなく、「常に問い続ける」姿勢で、情報の真偽を確認する習慣も大切です。

次章からいよいよ、具体的なTeamsの活用法へと入っていきますが、常にこの姿勢を意識しながら読み進めていただければと思います。

**図1-14　「クリティカルシンキング」の基本姿勢**

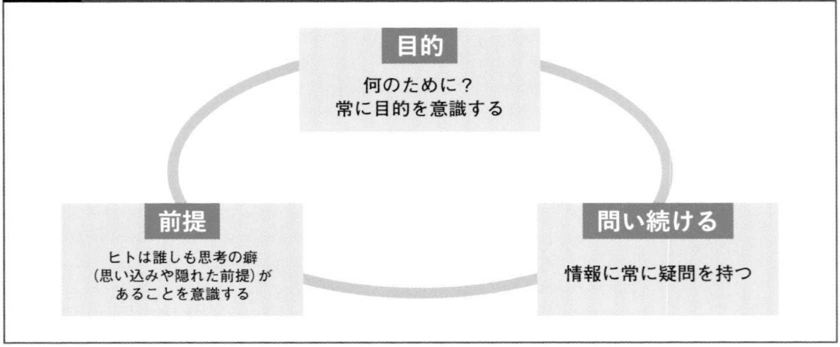

# 第2章

# チャットのキホン

# チャットコミュニケーションの特性を理解する

## チャットで伝わる情報・伝わらない情報

Teamsの機能の1つにチャット機能があります。Teams会議内のチャットだけでなく、1対1のチャット（**プライベートチャット**）、複数名でチャット（**グループチャット・チャネルの投稿**）の3種類があり、目的や用途に合わせてチャットを使い分けることができます。

**表2-1　チャットの種類**

| 種類 | プライベートチャット | グループチャット | チャネルの投稿 |
|---|---|---|---|
| 例えるなら | LINE | LINEグループ | Facebook |
| 閲覧範囲 | 1対1<br>（指定したユーザーのみ） | グループメンバー内<br>（グループチャットに追加したメンバーのみ） | チームメンバー内<br>（全員） |

オンラインで話をする場合、スムーズに話し手を交代したり、タイミングよく会話に入って質問したりすることが難しいと感じる場合があります。

チャットを利用すると、**話し手の言葉を遮ることなく、聴き手が自分の意見や質問を書くことができる**ので、迅速でスムーズなやり取りが可能になります。

また、最初は難しいかもしれませんが、オンラインに慣れると、チャットに書き込まれる反応や質問を見ながら、話し手が柔軟にストーリーを変更できるので、話し手の言葉と聴き手のチャットが融合され、対面のときよりも一体感のある双方向コミュニケーションが可能になります。**チャットコミュニケーションは、相手と迅速なやり取りを可能にし、音声によるオンラインコミュニケーションの難しさを補完してくれる存在**と言えます。

ただし、このチャットを活用するためには、コミュニケーション方法によって、伝わる情報が異なることを認識しておかなければなりません。図2-1は、コミュニケーション方法と、相手に伝わる情報を整理したものです。

「オンラインコミュニケーション」と「対面」の大きな違いは、「振る舞い」や「雰囲気」といった、人間の感覚で感じ取っている情報の有無です。物理的に同じ空間で働いているときに、言葉には出ていないけれど、「なんとなく、楽しそう」「なんとなく、今は、声をかけない方がいいな」といった雰囲気を感じた経験もあるのではないでしょうか？

**図2-1** 「コミュニケーション方法」と「伝わる情報」

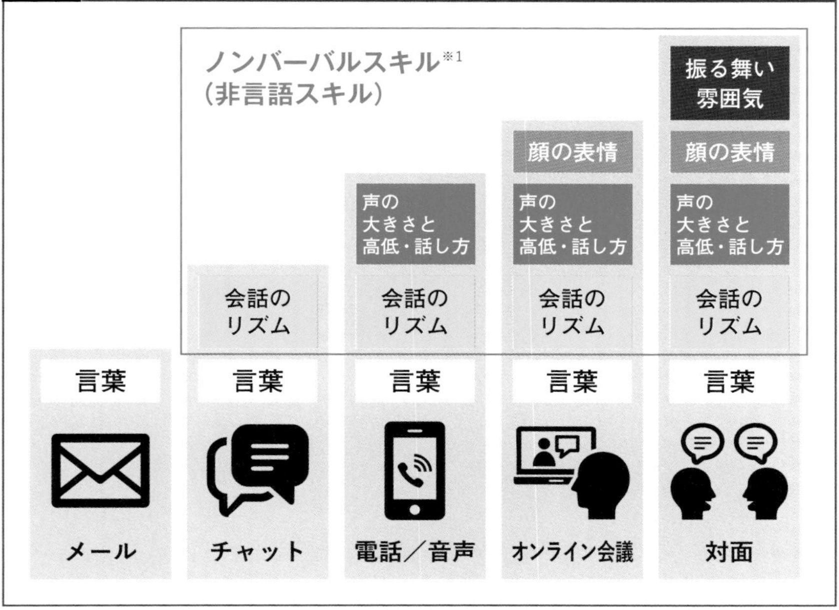


「言葉」以外の情報を具体的に体感するため、図2-2の写真の中から、あなたが一緒に働きたいと思うヒトを1人だけ選び、その理由を考えてください（全員、あなたと共通言語で話ができる前提で考えてください）。

※1：「言葉」以外の情報を使って、コミュニケーションする能力。

**図2-2　一緒に働きたいと思う人は？**

あなたは、何番を選びましたか？　また、選んだ理由は、どのような理由ですか？「楽しそう」「真面目そう」「優しそう」「相談にのってくれそう」など、ヒトによって、選ぶ番号も、理由もさまざまです（ぜひ、あなたのチームのメンバー全員に同じ質問をしてみてください）。おそらく、顔の表情、姿勢、雰囲気から、相手がどのような人かを推測しながら、選ばれたのではないでしょうか？

私たちは、「言葉」以外のノンバーバル（非言語）情報を受け取ることで、相手の感情や状況を理解し、スムーズなコミュニケーションを実現しています。コミュニケーション方法によって伝わる情報に違いがあるのであれば、それを理解した上で、「ツール」や「ルール」を活用して、コミュニケーションすればよいのです。

# 「ステータスメッセージ」と「プレゼンス」で状況を共有する

## ステータスメッセージで「断る」「断られる」を減らす

あなたは、誰かからの依頼を「断る」ことは得意ですか？　それとも苦手ですか？　依頼を断ったとき、「断ってよかったのかな？」とクヨクヨしたり、断れなかったら断れなかったで、「引き受けるのではなかった」と後悔したりという経験は、誰しも1度くらいはあるのではないでしょうか？

「本当は断りたい」ことを「察してほしい」と、あなたは思うかもしれません。しかし、ノンバーバル情報が伝わりづらいチャットでは、「察してもらう」ことは対面よりもさらに難しくなります。

そのため「断る」が苦手なヒトほど、そのような機会が少なくなるように、準備をすることが重要になります。つまり「ツール」と「ルール」で、不足している情報を補うことで、「察する」が不要な仕組みを作ればよいのです。

「断る」を減らすために必要な「ルール」は、**自分の判断基準を言葉にして共有する**ことです。例として、ある方に初めて企画の提案をした際に、伝えられた言葉を引用します。

> 1つだけお願いがあります。このように、新しく、楽しい企画であれば、今後も、全力で協力させていただきますが、**もし、同じ参加者に対して、同じような企画の場合は、お断りさせてもらうと思います。**

この例のように、相手の判断基準が「共有」されていれば、相手の判断基準に合う提案を考え、「断られる」回数を減らそうとするはずです。つまり「このような条件であれば対応できる」という**基準を言語化して共有しておけば、判断基準に合わない声かけが減り、結果として「断る」回数も減る**ことになります。「断る」「断られる」回数が減れば、シゴトの効率が上がるだけでなく、シゴトがしやすくなることは、誰しも容易に想像できるのですが、その回数を**減らすための「ひと言」**を伝えていないことが多いのです。

## ステータスメッセージで自分の状況を共有する

この「判断基準の共有」を実現するのが、Teamsの**ステータスメッセージ**です。「ステータスメッセージを使って、自分の状況（判断基準）を共有する」ことを、組織やチームの「ルール」にしておけば、相手の姿が見えない状況でも、お互いの状況を理解することができます。

**図2-3　ステータスメッセージを利用する**

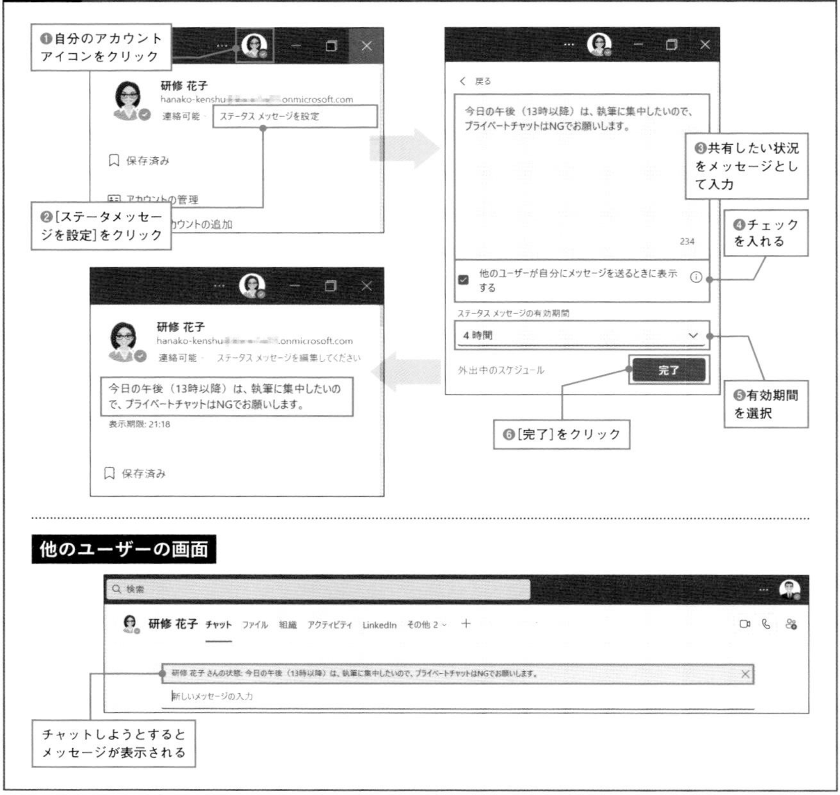

**図2-4 ステータスメッセージを変更する・削除する**

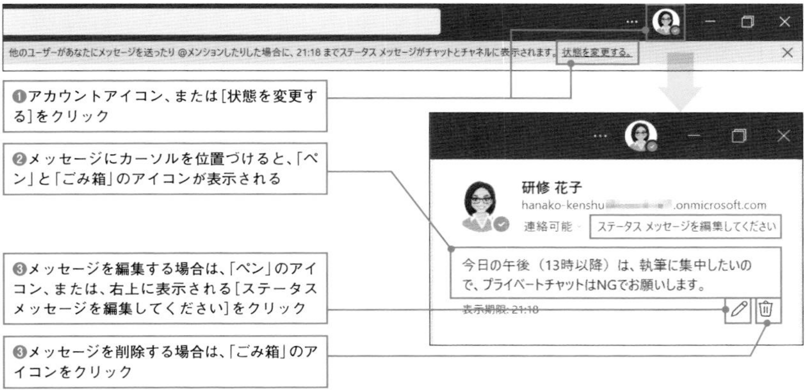
他のユーザーがあなたにメッセージを送ったり @メンションしたりした場合に、21:18 までステータス メッセージがチャットとチャネルに表示されます。 状態を変更する。
❶アカウントアイコン、または[状態を変更する]をクリック
❷メッセージにカーソルを位置づけると、「ペン」と「ごみ箱」のアイコンが表示される
❸メッセージを編集する場合は、「ペン」のアイコン、または、右上に表示される[ステータスメッセージを編集してください]をクリック
❸メッセージを削除する場合は、「ごみ箱」のアイコンをクリック
研修 花子
hanako-kenshu .onmicrosoft.com
連絡可能
ステータス メッセージを編集してください
今日の午後（13時以降）は、執筆に集中したいので、プライベートチャットはNGでお願いします。
表示期限: 21:18

## 不在時の自動応答メッセージの設定

Outlookメールの自動応答（不在時の自動応答メッセージ）をTeamsから設定することもできます。Teams利用時に、自動応答メッセージを設定したい場合、Outlookへの切り替えが不要なので便利です。不在時の状態は、Outlookカレンダーと同期されます。

また、Teamsで不在時の自動応答メッセージの設定をすると、自分や他の人がプロフィールを開いたときにも表示されます。

**図2-5 不在時の自動応答メッセージの例**

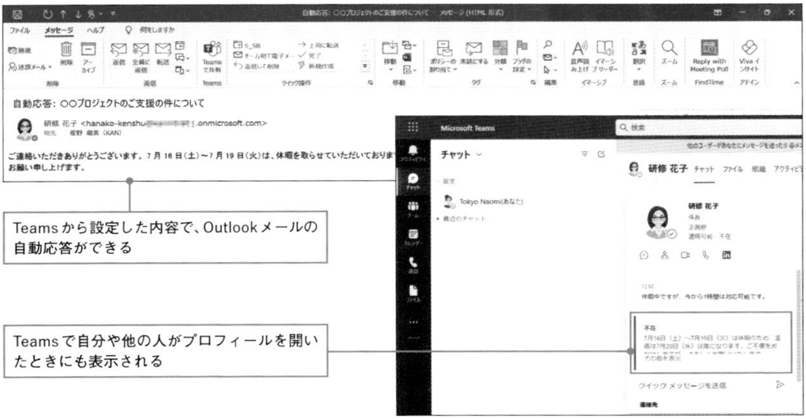
自動応答: ○○プロジェクトのご支援の件について
ご連絡いただきありがとうございます。7月16日(土)～7月19日(火)は、休暇を取らせていただいております。
お願い申し上げます。
Teamsから設定した内容で、Outlookメールの自動応答ができる
Teamsで自分や他の人がプロフィールを開いたときにも表示される
Microsoft Teams
チャット
研修 花子
不在

**図2-6 不在時の自動応答メッセージの設定**

❶アカウントアイコンをクリック
❷[外出中のスケジュール]をクリック
❸「自動応答を有効にする」をオンにする
❹「不在時の応答」にメッセージを入力する
❺組織外から連絡があった際に自動応答を送信したい場合は、「組織外に応答を送信」をチェックし、オプションを選択し、メッセージを入力する
❻「この期間に限り応答を送信する」をチェックし、開始日時と終了日時を設定する
❼[保存]をクリック

## プレゼンスを確認して適切な連絡方法を選ぶ

先ほどとは反対に、自分が誰かに連絡を取りたい場合、相手の状況を事前に確認できれば、「今、連絡しても大丈夫か」「連絡手段は、何が適切か」を選ぶことができます。「連絡可能」であれば、気軽にチャットで話しかける、通話をするといった選択肢があります。「取り込み中」であれば、終わるのを待って連絡したり、「退席中」であれば、後から返信をもらえるように、詳細なチャットやメールを送っておいたりすることも可能でしょう。

Teamsはステータスメッセージだけでなく、プレゼンスで相手の状況を確認できるので、「今、連絡しても大丈夫かな？」「どのように連絡しようかな？」と悩む要素が少なくなります。**自分の状況を共有し、相手の状況を確認する習慣を身につけ、状況にあった方法を選択することで、オンラインコミュニケーションを快適にできる**のです。

Teams画面の右上に表示されている、自分のアカウントアイコンを確認すると、右下に緑や赤の小さな丸がついています。これが、ユーザーの現在の状況（可用性や在席状況）を表す**プレゼンス**（ステータス）です。この色や記号で、自分やほかのメンバーの状況が分かります。このプレゼンスは、Teams予定表、Outlook予定表の登録状態やPC稼働状況によって、自動で変更されます。

**図2-7 Microsoft Teams のプレゼンス**

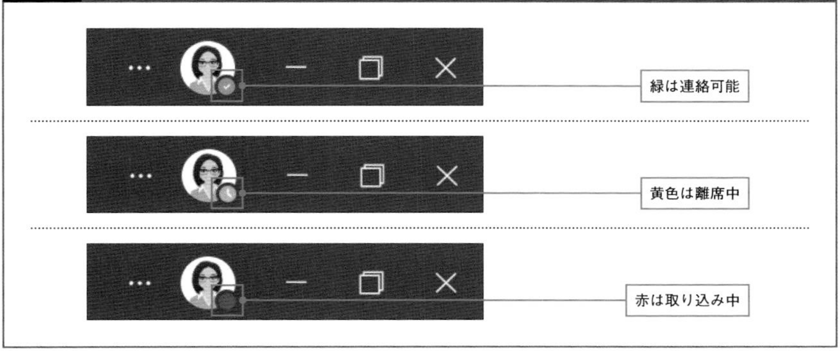


## 相手のプレゼンスを確認する

Microsoft 365の同じテナント[※2]のアカウントや同じチーム／チャネルに所属しているメンバーは、チャット画面やメンバー一覧で相手のプレゼンスを確認できます。ステータスアイコンにカーソルを位置づけると、文字で状態が表示されるので、アイコンの意味は一目で分かります。

状況によって、チャット以外の方法（メール、ビデオ通話、音声通話）に簡単に切り替えてコミュニケーションすることもできます。

※2：Microsoft 365を契約すると、その「組織」が利用できる1つのMicrosoft 365環境が用意される。この環境（組織アカウント）を「テナント」と呼ぶ。

## 図2-8 相手のプレゼンスを確認する

## 図2-9 メンバーのプレゼンスを確認する

❶[チーム]をクリック
❷該当する「チーム」→「チャネル」をクリック
❸Teams画面の右上に表示される「チャネルの情報」をクリック
❹メンバーの一覧が表示され、全員のプレゼンスが確認できる

**図2-10 プレゼンスの種類**

| | | |
|---|---|---|
| 連絡可能 | Teams、Outlookの予定表や通話がなく、PC操作をしている状態<br>または、手動で設定している状態 | 手動選択可能 |
| 連絡可能、不在 | Outlook予定表で外出の予定が入っている時間帯に、PC操作をしている状態<br>「不在」はユーザーのOutlookで「自動返信」を設定されている期間 | |
| 取り込み中 | Teams、Outlook予定表に予定が入っている状態<br>または、手動で設定している状態 | 手動選択可能 |
| 通話中 | Teamsアプリで通話中の状態 | |
| 会議中 | Teams、Outlook予定表に、複数名が参加する予定が入っている状態 | |
| 通話中、不在 | Outlook予定表で外出の予定が入っている時間帯に、<br>Teamsアプリで通話中の状態 | |
| 応答不可 | 手動で設定している状態<br>通話はボイスメールに転送され、チャットのバナー通知は表示されない | 手動選択のみ |
| 発表中 | Teams会議中に、画面共有をしている状態 | |
| フォーカス | Microsoft VivaのMyAnalyticsを利用し<br>Outlook予定表でフォーカス時間を設けた状態 | |
| 退席中 | PCがロック状態、スリープ状態、一定時間(既定は5分)以上PC操作がない状態<br>または、手動で設定している状態 | 手動選択可能 |
| 一時退席中 | 手動で設定している状態 | 手動選択のみ |
| オフライン | ユーザーがどのデバイスにも数分間ログインしていない場合、ユーザーは<br>オフラインとして表示される | |
| 状態不明 | Teamsの状態が取得できない状態(アカウントが確認できないなど) | |
| 不在 | 自動応答が設定されている場合、不在が表示される | |

## プレゼンスを手動で変える

予定は入っていないけれど、「集中したいので、なるべく連絡をしてほしくない」状態のとき、何かの予定を登録して自動表示で「取り込み中」とさせるのではなく、手動でプレゼンスを変えることができます。

また逆に、予定は入っているけれど、通話がかかってきたら対応可という場合も、自動表示ではなく、手動でプレゼンスを変えておくことで、対応を速やかに行うことができます。自分のプレゼンスを正しく設定しておくことで、Teamsで繋がっている相手に、自分の状態を示すことができます。

プレゼンスが自動変更されるように戻す場合は、手動で［状態のリセット］を選択する必要があります。

図2-11　プレゼンスを手動で変える・自動変更に戻す

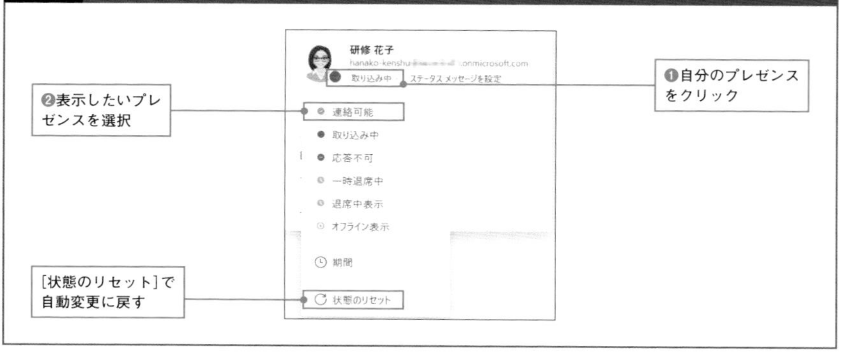


## 相手のプレゼンスが変わった通知を受けとる

連絡を取りたい相手が「連絡可能」や、「オフライン」になったときに、通知を受け取りたい場合は、「状態通知を管理」で設定することができます。

図2-12　ユーザーの状態についての通知を受け取る

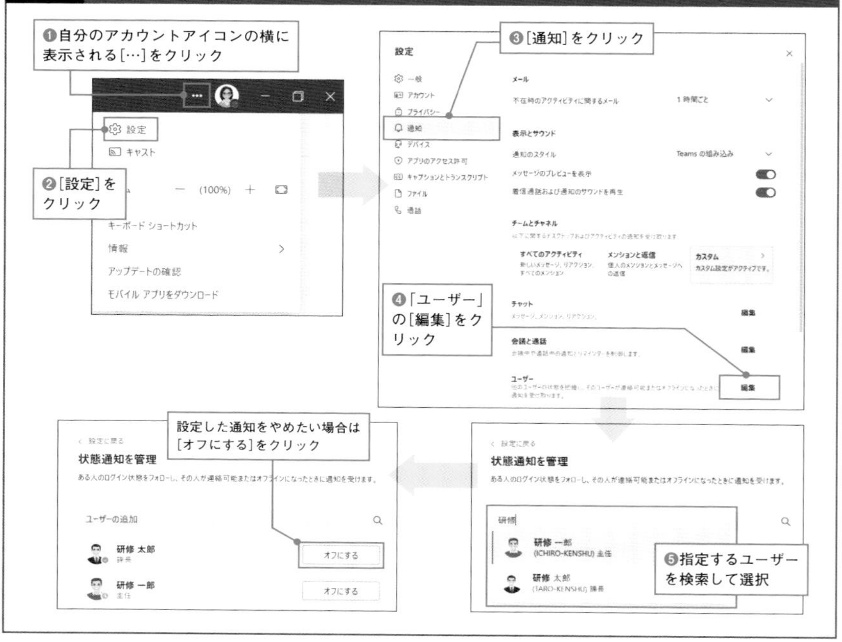

## 「応答不可」のときでも特定の相手からの連絡は受け取る

Teamsは、さまざまなタイミングで「通知」を受け取ります。既定の設定では、デスクトップ画面右下にバナー通知（ポップアップ通知）が表示されます。「応答不可」の場合、既定ではバナー通知が表示されない状態になりますが、特定の相手からのバナー通知を表示したい場合、「優先アクセスを管理する」で設定することができます。

図2-13　特定の相手からの連絡を受け取る

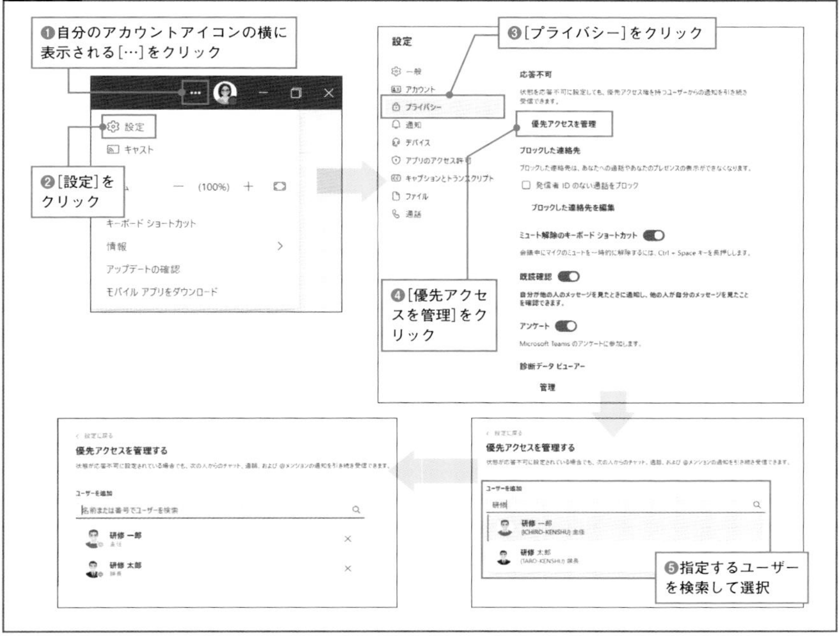

# 「ちょっと、いい？」を実現する「プライベートチャット」

## 1対1の会話はチャットを基本に

1対1のコミュニケーションの場合、つい電話をしたくなるかもしれませんが、電話は相手の都合に関係なく、相手の時間に割り込むことになります。相手と直接話をしたいと思った場合、反射的にすぐ電話をかけるのではなく、まず「会話をすることでより一層の効果が得られるか」を考えることが重要です。そして「相手が話せる状態かどうか」をチャットで確認してから電話をするか、「〇時までに直接話をしたい」というリクエストを出し、相手の都合の良い時間に電話をかけてもらうとよいでしょう。

**図2-14　チャットで相手のタイミングを確認する**

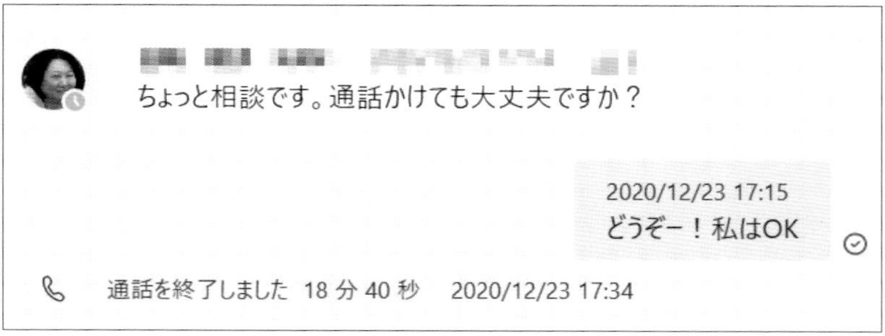
ちょっと相談です。通話かけても大丈夫ですか？
2020/12/23 17:15
どうぞー！私はOK
通話を終了しました 18 分 40 秒 2020/12/23 17:34

### 1対1のチャットを開始する

特定の相手と1対1でコミュニケーションしたい場合、Teamsのプライベートチャットを利用します。

図2-15 プライベートチャットを開始する

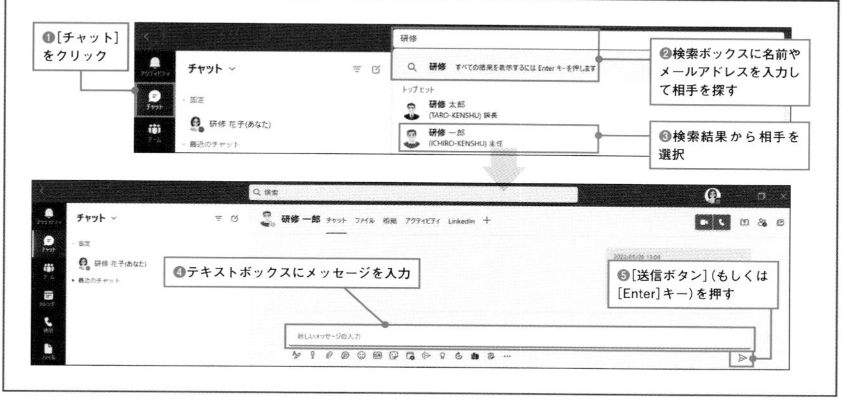
❶[チャット]をクリック
❷検索ボックスに名前やメールアドレスを入力して相手を探す
❸検索結果から相手を選択
❹テキストボックスにメッセージを入力
❺[送信ボタン](もしくは[Enter]キー)を押す

## 【Tips】メッセージ送信直後、入力ミスを素早く修正する

メッセージ送信直後であれば、[↑] キーや [^] キーを押すと、すぐに編集モードに切り替わるので、すばやく修正ができます。この方法は、修正済みメッセージに対して、再度行うことはできないので、その場合は、図2-16の方法で修正します。

## メッセージを改行して入力する

テキストボックスで書式エディターを使っていない状況では、[Enter] キーの押下によって、メッセージが送信されます。メッセージを改行して入力したい場合、２つの方法があります。

【方法①】テキストボックスで、[Shift] キー＋ [Enter] キーを押す
【方法②】書式エディターを使うと、[Enter] キーの押下は改行になる
　　　　※書式エディターの使い方は、p.60参照

## 投稿したメッセージを修正・削除する

「投稿後に投稿内容を修正したい」「投稿を事情により削除したい」こともあるでしょう。その場合は、次の手順で行います。

図2-16　投稿したメッセージを修正・削除する

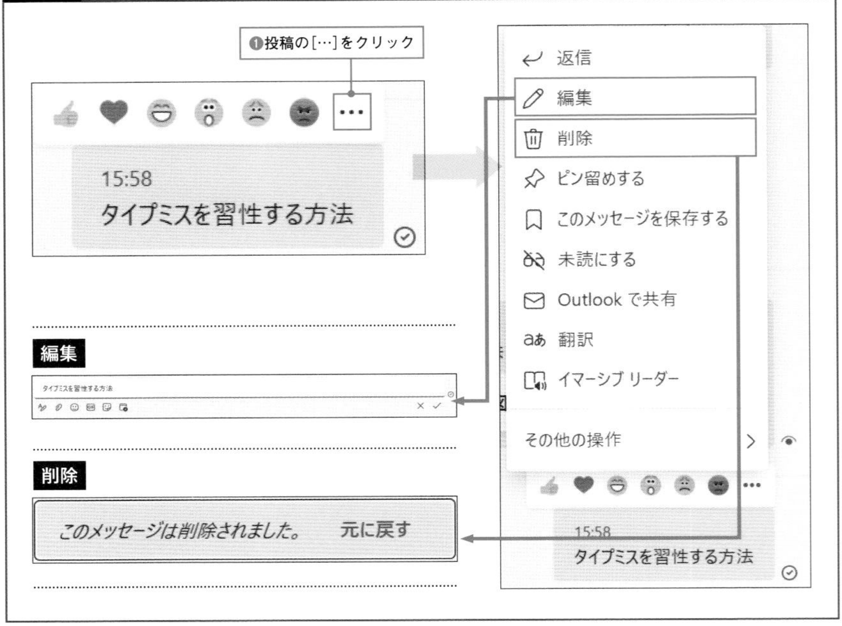


## チャットの相手を探す

最近チャットした相手であれば「最近のチャット」から、検索した相手であれば「検索ボックス」の履歴から、チャットの相手を探すことができます。

図2-17　履歴からチャットの相手を探す

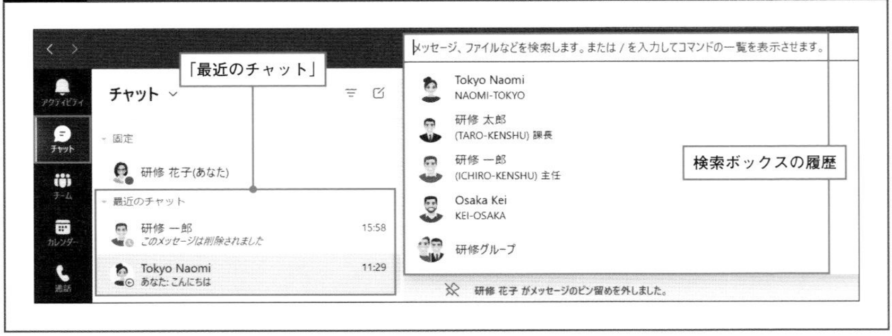

## 【Tips】チャットの相手を固定して探す時間を減らす

図2-17のとおり、「最近のチャット」や「検索ボックス」を利用して相手を探すことができますが、チャットの相手を「固定」することで、探す時間を減らすことができます。

### 図2-18　チャットの相手を固定する

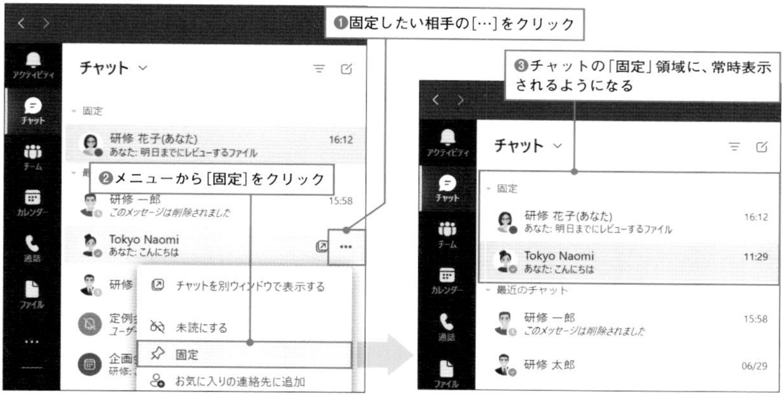


## 【Tips】自分宛てのチャットを備忘録・作業エリアとして使う

仕事中に、「備忘録としてメモを残しておきたい」「後で作業するファイルを自分宛に送っておきたい」「誰か宛てのメッセージの下書きをしたい」といったことがあります。Teamsチャットでは、既定で自分宛のチャットが一番上に固定されているので、簡単に、自分宛にチャットができます。

### 図2-19　自分宛にチャットする

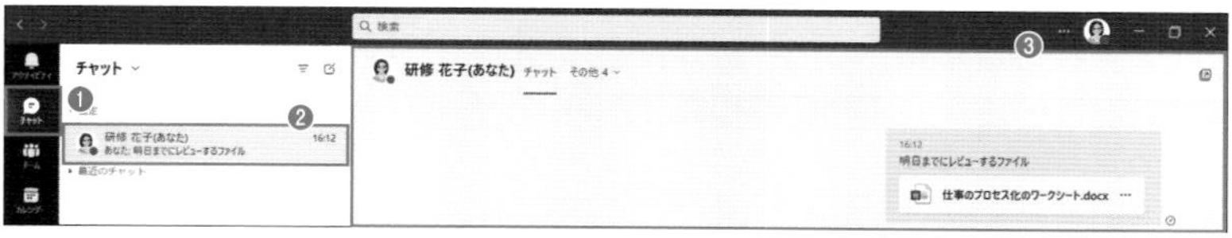


❶[チャット]アイコンをクリック　❷一番上に固定されている自分を指定
❸プライベートチャットと同じように(図2-15参照)、テキストボックスにメッセージを入力したり、ファイルを添付したりできる(図2-36参照)

## 「連絡先」を利用してチャットの相手を整理する

「連絡先」を使うと、チャットする相手をグループで整理することができます。「連絡先」には、既定で「お気に入り」グループが作成されています。

プライベートチャットの相手を整理したい場合は、「連絡先」に新しいグループを作成して、整理することをおススメします。「連絡先」の下部に表示される［新しい連絡先グループを作成］をクリックすることで作成が可能です。

図2-20 メンバーを「連絡先（お気に入り）」に登録する

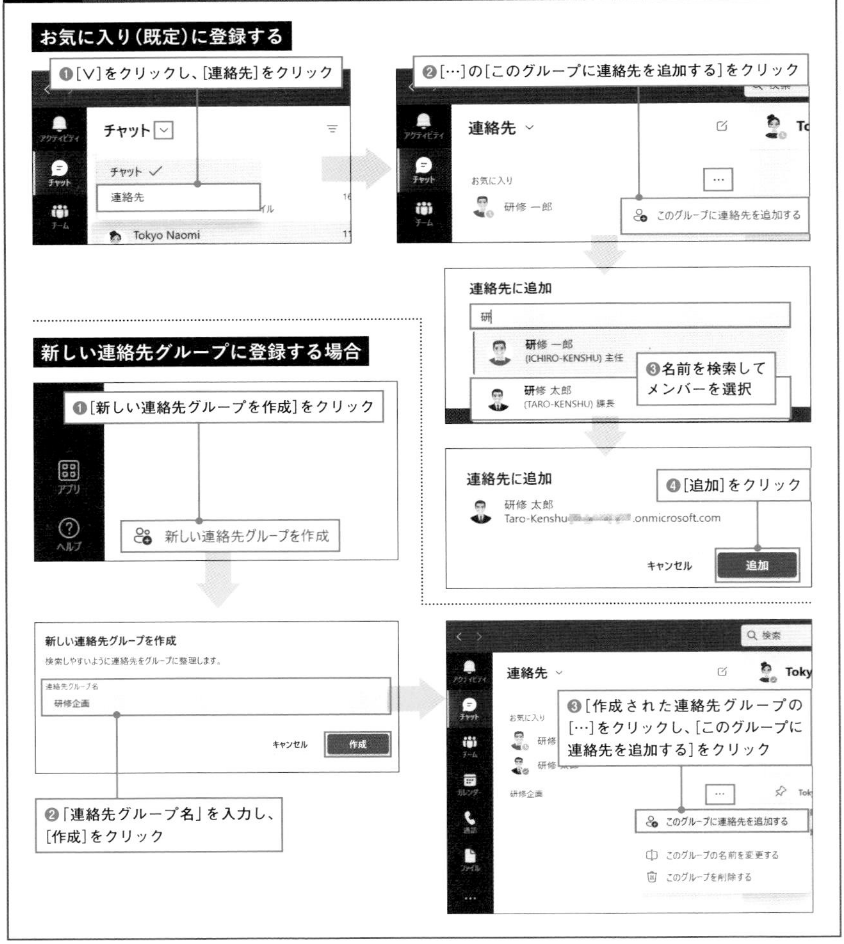

# 「チーム」と「チャネル」の使い分けが効率化の鍵！

## チャットコミュニケーションのデザイン

情報が無秩序に散らばった状況にならないように情報を整理し、理解しやすくする方法論として、**情報デザイン**（information design）があります。

情報を収集して、利用するまでの大まかな流れは、**①目的に応じて情報を収集→②収集した情報を分析→③情報の整理・表現→④情報の保存・管理**になります。情報デザインに基づき整理されている情報と、そうでない情報では、目的の情報に辿り着くまでの時間が大きく異なります。扱う情報量が増えれば増えるほど、その差は大きくなります。**「探す時間」を減らすためには、情報を構造化して整理しておくことが重要**です。

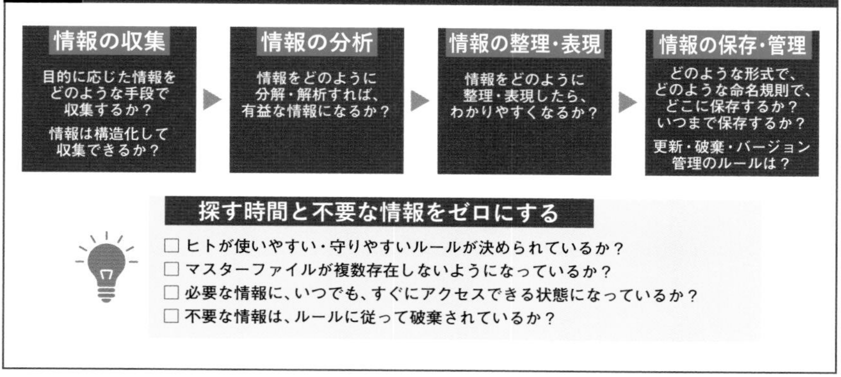
情報の収集
目的に応じた情報をどのような手段で収集するか？
情報は構造化して収集できるか？
情報の分析
情報をどのように分解・解析すれば、有益な情報になるか？
情報の整理・表現
情報をどのように整理・表現したら、わかりやすくなるか？
情報の保存・管理
どのような形式で、どのような命名規則で、どこに保存するか？いつまで保存するか？
更新・破棄・バージョン管理のルールは？
探す時間と不要な情報をゼロにする
□ ヒトが使いやすい・守りやすいルールが決められているか？
□ マスターファイルが複数存在しないようになっているか？
□ 必要な情報に、いつでも、すぐにアクセスできる状態になっているか？
□ 不要な情報は、ルールに従って破棄されているか？
図2-21 情報の収集から運用まで

チャットでやり取りされる内容も、有益な情報であることに変わりはありません。後で情報を検索しやすくするために、構造化しているかどうかで、仕事の効率に大きな差が出てくるのです。ここでルールとして重要なのは、次の2つが実践されているということです。

①投稿場所が構造化されている
②構造化された場所に適切な情報が投稿されている

②の課題の１つとして、本題から話が脱線したとき、目的とは異なるチャットが続いてしまうことです。１つのスレッド（投稿の一連のやり取りのことをスレッドと呼びます）に、「カテゴリ」や「目的」が異なる投稿が混在している状況は、１つのフォルダーの中に目的がバラバラなファイルが大量に保存されているようなものです。その際、「この内容はスレッドが違うから別スレッドに移動しませんか？」と話の流れを止めて、別スレッドに導くこともコミュニケーションスキルとして、非常に大切です。

## 「チーム」と「チャネル」の運用を考えて設計する

1章（「チーム」と「チャネル」の役割を理解する）で説明したとおり、Teamsは、「チーム」と「チャネル」の2つの階層構造を使って情報を整理します。「チーム」と「チャネル」は、チャットやファイルを分類、整理することが目的なので、乱立しないように、**作成ルールや命名規則を最初に決めておく**ことがポイントです。ルールがない状況で自由に作りすぎると、後から整理したり、情報を探したりすることが大変になります。だからといって、「チーム」や「チャネル」の作成を、すべて申請制にしてしまうと、管理のための管理が発生し、組織やチームのシゴトが増えることになります。

**図2-22　Teamsの「チーム」と「チャネル」**

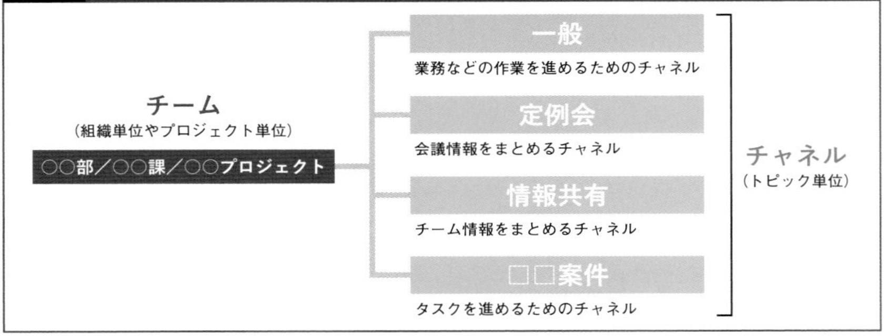

組織やチームのシゴトを増やさないように、適切な権限委譲を行い、「チーム」と「チャネル」が煩雑にならないように、組織や部門のルールを決めておくことが重要です。Teamsに限らず、コラボレーションウェア（グループウェア）を使って、業務を効率よく、効果的に進めるには、少なくとも以下の3点について検討することをおススメしています。

- チームやチャネルのように、構造に関わる部分の管理権限を各部門に委譲し、部門に管理者をおく
- 権限委譲された部門の管理者は、管理に必要なトレーニングを受ける
- 作成基準・命名規則・削除基準、ルールの見直し間隔（3か月・6か月）など、運用ルールを決める

チームの構成メンバーやビジネスは変化するので、定期的にルールの見直しをすることは重要です。**定期的（3か月毎・6か月毎）にルールの見直しをすること自体もルールにしておく**とよいでしょう。

なお「チーム」と「チャネル」の具体的な作成方法については、5章で紹介します。「チーム」や「チャネル」は、コミュニケーションを分類・整理する上で重要な役割を担うため、作成や管理には権限が必要です。

# チームの会話を見える化する「チャネル」の投稿

## チャネルでのチャットのはじめ方

Teamsで「チーム」を作成すると、既定で「一般」という名前の「チャネル」が作成されます。また、会話や共有ファイルを目的やカテゴリ毎に整理するため、チーム内に「チャネル」を作成することもできます。

「チャネル」のチャットはオープンなチャットとして、すべてのチームメンバーに公開され、チーム全体に共有することができます※3。

図2-23 「チャネル」の「投稿」を開始する

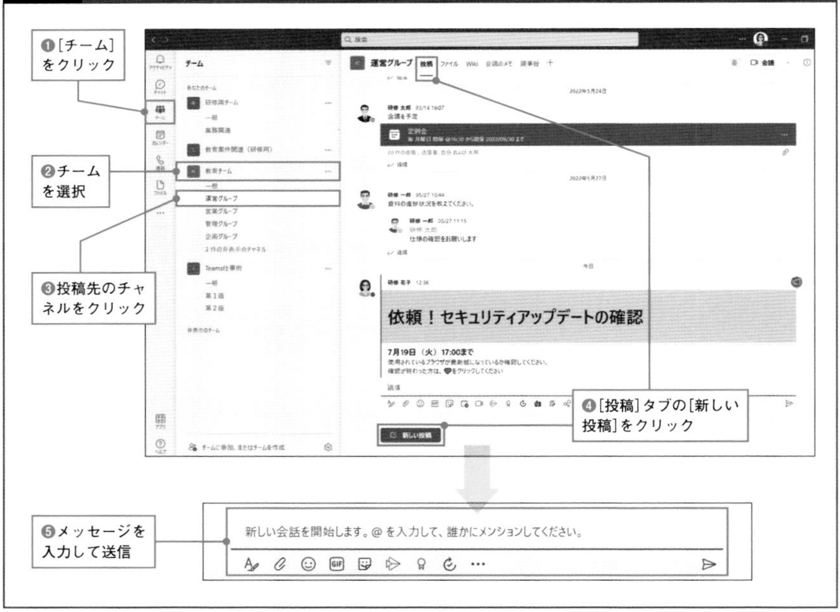

❶[チーム]をクリック
❷チームを選択
❸投稿先のチャネルをクリック
❹[投稿]タブの[新しい投稿]をクリック
❺メッセージを入力して送信
運営グループ
投稿
依頼！セキュリティアップデートの確認
7月19日（火）17:00まで
新しい投稿
新しい会話を開始します。@ を入力して、誰かにメンションしてください。

※3：機能として「プライベートチャネル」を作成することも可能。その場合は、メンバーとして指定された人だけに共有される。

### 各チャネルの投稿を閲覧する

「チャネル」に投稿されたメッセージは、各チャネルにスレッド形式で表示されます。メッセージを見たいチームをクリックし、チャネルを選択することで、チャネル内の投稿を閲覧することができます。

図2-24　各チャネルの投稿を閲覧する

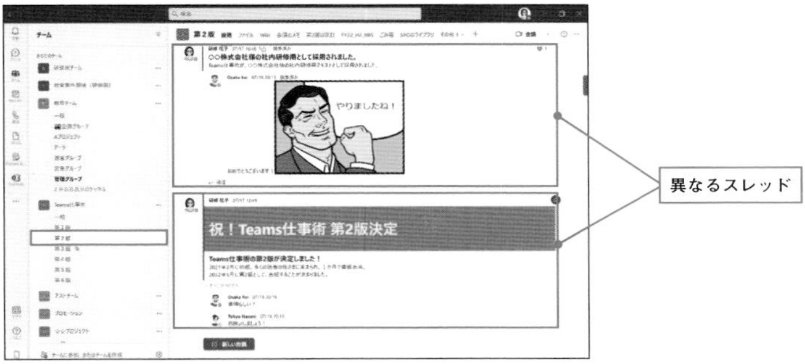


## 読んで欲しい相手をメンションで明確に！

「チャネル」の投稿は、チームメンバーであれば、全員が読むことができます。コミュニケーションミスを起こさないようにするには、その投稿が、チームメンバー全員に向けたメッセージなのか、それとも、特定のメンバーに向けたメッセージなのかを明確にする必要があります。

特定の人にメッセージを送り、そのメッセージを情報としてチームに共有したい場合があります（メールのTOとCCに相当）。このような場合、チャットでは、**メンション**を使います。メンション（mention）は、英語で「～に言及する」という意味になりますが、IT用語としては「メッセージを読んで欲しい相手を指定して投稿する」という意味になります。

### 特定のメンバーをメンションで指定する

メンションは、@（半角アットマーク）のあとに、「ユーザー名」を指定します。このように「@ユーザー名」で相手を指定することを「メンションする」といいます。メッセージ中のどの場所でもメンションできますが、文頭でメンションすることで、「その人宛に送信している」という意味合いがあります。

**図2-25　特定のメンバーをメンションで指定する**

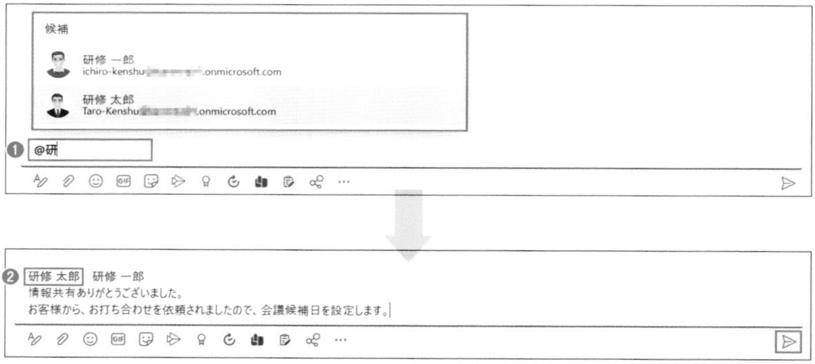


❶テキストボックスで@マークを入力するとメンションするユーザー一覧が表示される。そこから選択するか、続けて名前（またはメールアドレス）を入力し、表示された候補から宛先を選択。複数名にメンションする場合は再度@マークを入力する

❷フィールドにユーザー名が入力された（メンションされた場合は、名前が紫色の太字で表示される）のを確認して［送信］をクリック

## チームやチャネルをメンションで指定する

メンション先に指定できるのは、ユーザーだけではありません。チームやチャネルを指定することも可能です。チームやチャネルを指定することで、所属メンバー全員にメンションできるというわけです。

同じように、@マークを入力し、続けてチーム名またはチャネル名を入力、表示された候補から宛先を選択します。

## タグをメンションで指定する

Teamsでは、「タグ」を作成し、特定のメンバーを登録することができます。タグ名でメンションすると、登録したメンバーに通知されます。

「タグ」は、作成権限のあるユーザーが、事前に作成しておく必要があります。既定では、チームの所有者が「タグ」を作成できますが、Teams管理セ

ンターの設定で、「チームの所有者とメンバー」に権限を変更すれば、メンバーも「タグ」を作成できるようになります。定期的に、特定のメンバーにメンションする必要がある場合、あらかじめ、「タグ」として作成しておくことで、効率的かつ漏れなく通知することができます。なおタグの作成方法は、5章で解説します。

タグを指定する場合も、テキストボックスで@マークを入力し、続けてタグ名を入力し、表示された候補から宛先を選択します。



### 【Tips】メンションする場所に意味をもたせる

メッセージの文頭で特定の相手にメンションすることで、メンションされた相手に向けた投稿であることが分かります。この場合、メンションされた相手が、メールのTOに相当し、チームメンバー全員がCCに相当します。

投稿内容によっては、その投稿がメンバー全員ではなく、一部メンバーに向けてのCCであることを示したい場合があります。その場合、メンションする場所に意味を持たせ、チームのルールとして共有しておきます。

例えば、TOは文頭、CCに相当するメンバーはメッセージの後とする、などのルールがあるでしょう。投稿がチーム全員に公開されていることは変わりませんが、その投稿の関係者がより明確になります。

## メッセージは、相手に見やすく、分かりやすく！

チャットの魅力は、会話のように気軽なコミュニケーションができることです。会話のように短めな文章でやり取りするだけでなく、ある程度まとまった長さのメッセージを投稿したい場合があります。その場合は、「書式エディター」を使うことをおススメします。

なお、「書式エディター」を利用している場合、[Enter] キーは改行の意味になります。投稿するときには、[送信] ボタンをクリックします。

## 図2-26 文字を装飾する

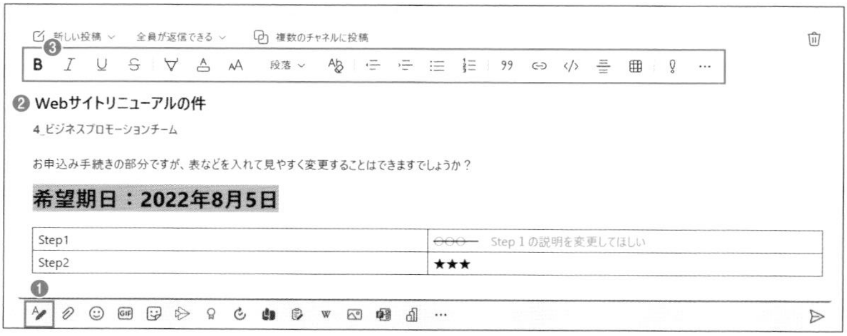


❶テキストボックスの下部に表示される[書式]をクリック

❷テキストボックスが広がるので、件名やテキストを入力

❸装飾したい文字列を選択後、エディター上部にあるアイコンを利用して、文字の装飾や、段落の調整を行う。「箇条書き」「番号付きリスト」「引用」「表の挿入」「重要としてマーク」など、テキストを見やすくするための機能を利用可能。すべてのアイコンが表示されていない場合、右端の[…]をクリックすると、表示されていないアイコンがメニューで表示される

## チャネルにアナウンス（お知らせ）を投稿する

投稿を目立たせ、投稿内容を周知したい場合、背景画像や見出しを設定できる「アナウンス」を利用します。

## 図2-27 チャネルにアナウンス（お知らせ）を投稿する

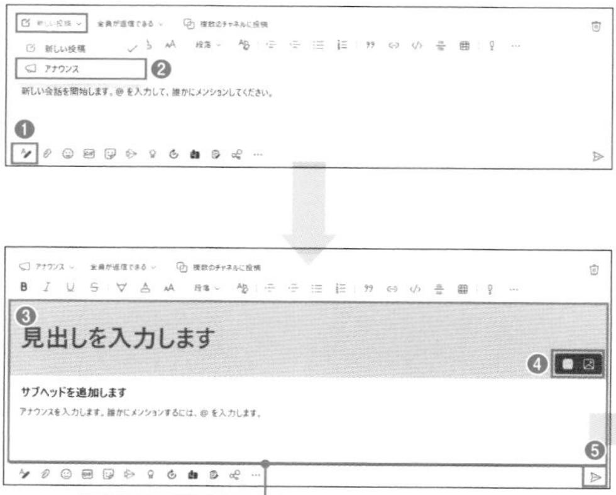


アナウンスの投稿をメンバーに通知して知らせる場合は、メンションが必要

❶[書式]をクリックしてテキストボックスを広げる

❷[新しい投稿]の[アナウンス]をクリック

❸「見出し」「サブヘッド（サブタイトル）」「アナウンス」を入力

❹背景色（左）と背景画像（右）を必要に応じて設定

❺[送信]をクリック

### 複数のチャネルに同じ投稿をする

新規投稿時に、同じ内容のメッセージを複数のチャネルに投稿したい場合、「複数のチャネルに投稿」の機能を使えば、１度に行うことができます※4。

**図2-28　複数のチャネルに同じ投稿をする**

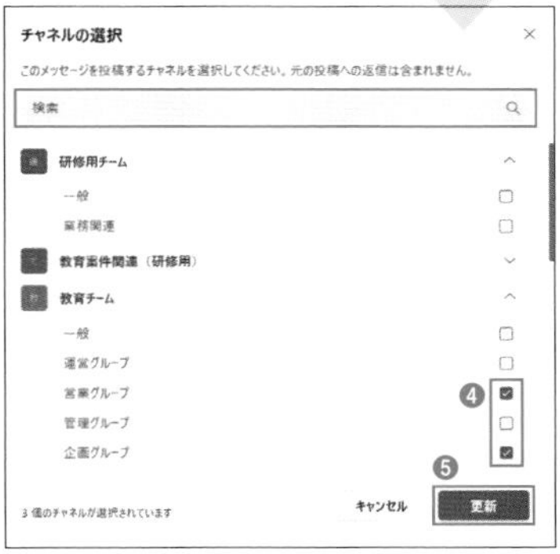


❶[書式]をクリックしてテキストボックスを広げる
❷[複数のチャネルに投稿]をクリック
❸[チャネルを選択]をクリック
❹追加するチャネルを選択。検索ボックスから検索もできる
❺[更新]をクリックすると投稿先にチャネルが追加される

## 投稿へのリアクションルールを決めて効率化しよう！

投稿したメッセージに誰からも反応がないと、メッセージが必要なメンバーに届いているかどうか分からず、不安になることがあります。チームで心地よく働くためには、こういった不安が起きないよう、投稿されたメッセージに対して、メンバーとしてなんらかの「反応」を示すことが必要です。

※4：複数チャネルに投稿されたメッセージへの返信については各チャネルで行われるため、複数チャネルへの同時返信はできない。

## 【Tips】リアクションルールを決めて返信メッセージを減らす

投稿に対して、「承知しました」「ありがとうございました」と返信メッセージを投稿する代わりに、次のようなアイコンで反応することができます。

**「メッセージを確認しました」「承知しました」＝「いいね！」**

**「ありがとうございました」「助かりました」＝「ステキ」**

**図2-29　チャットの投稿にリアクションする**

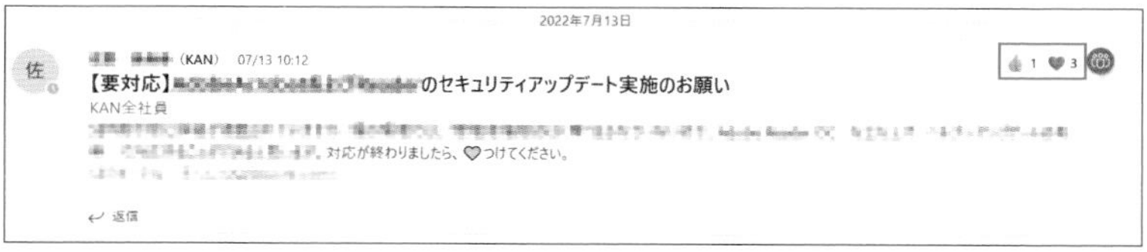


図2-29のように、指示を読んだら「いいね！」、対応が終わったら「ステキ」に変更するルールにすると、指示を確認した人、対応が終わった人をリアクションマークで確認できます。組織やチームでリアクションルールを決めておくと、返信メッセージが大量に投稿されることを防ぎ、スレッドも見やすくなり、指示を出す側も出される側もお互いが楽になります。

## チャットの投稿に返信する

チャットの投稿に返信する場合は、スレッドの［返信］から行います。

**図2-30　チャットの投稿に返信する**

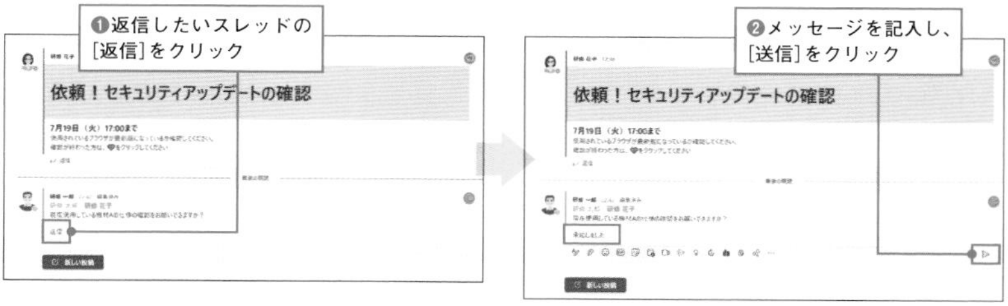

## 投稿に特定の人だけが返信できるようにする

リアクションルールを決めることで、返信メッセージを削減できますが、Teamsには、特定の人だけが返信できるように設定する機能もあります。

図2-31 投稿に特定の人だけが返信できるようにする

❶テキストボックスの下部に表示される[書式]をクリック
❷エディター上部の[全員が返信できる]をクリックし、[自分とモデレーターが返信できる]を選択
❸「件名」と「メッセージ」を入力
❹[送信]をクリック

## 【Tips】煩雑にならない運用ルールを最初に決める

チャットの便利な点は、対面の会話のように気軽なコミュニケーションができることです。ただし、対面の会話と異なるのは、全て、文字（テキスト）として累積されていく点です。だからこそ、「チーム」と「チャネル」を設計し、カテゴリやトピックごとに情報を構造化して、情報を探しやすくすることが大切です。

そのためには、「チーム」や「チャネル」が乱立したり、大量の返信メッセージで重要な情報が埋もれたりしないよう、**メンバー全員が守れるリアクションルールや運用ルールを最初に決めておく**ことをおススメします。

## メッセージを保存して、シゴトの抜けもれ防止

複数のチームやチャネルに関わっている場合、自分に関係するメッセージが多くのチャネルに存在します。

**Teamsには、重要な内容や後で確認したい投稿を1か所にまとめて保存しておく機能があります。この機能を利用して、シゴトの抜けもれを防止する**ことができます。メッセージを読み、すぐに対応できないことは「このメッセージを保存する」を使って1か所にまとめておきます。時間がとれたら保存されているメッセージを確認し、対応が終わったら保存されたメッセージを一覧から削除すればよいのです。

**図2-32　このメッセージを保存する・保存したメッセージを確認する**

**このメッセージを保存する**

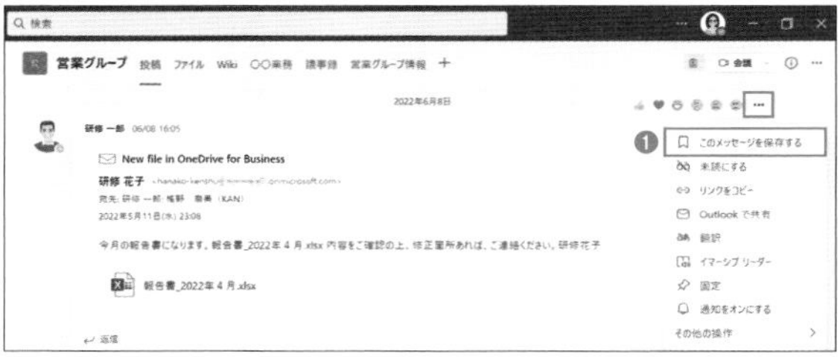


❶メッセージ内にカーソルを合わせ、表示された[…]から、[このメッセージを保存する]をクリック

**保存したメッセージを確認する**

❶アカウントアイコンをクリック
❷メニューから[保存済み]をクリックして、保存したメッセージ一覧を表示
❸一覧からメッセージを削除する場合は、メッセージの右に表示されるアイコンをクリック

# 「ちょっと集まって！」を実現する「グループチャット」



## グループチャットの使い方と考え方

物理的なオフィスで働いているときと同じように、近況報告や相談など、複数名で会話をしたいことがあります。このような、会議を開くほどではないけれど、「関係者を集めて、ちょっと相談したい」「特定のメンバーで、非公開でチャットをしたい」といった場合、**グループチャット**を利用することができます。

ただし、複数名とコミュニケーションするという目的は、チャネルのオープンなチャットでも実現できます。すでに解説したように、メンションを利用すれば、特定の人宛てにメッセージを投稿することができるからです。この場合、メンションされていない人からアイデアやアドバイスをもらえたりする可能性もあります。

また、非公開のグループチャットが多くなると、どこまで共有してあって、どこから共有していないかが分かりづらくなり、コミュニケーションが煩雑になることもあります。**「チーム」と「チャネル」による情報の構造化**という観点からも、あまり望ましくない状態といえるでしょう。

したがって、情報共有は「チャネル」のオープンなコミュニケーションが基本になるように設計し、非公開のグループチャットが増えすぎないように、チームメンバーに周知しておくことが重要です。

以上を踏まえた上で、ここではグループチャットを行う具体的な方法を紹介します。

## グループチャットを開始する

グループチャットは以下の手順で開始することができます。

**図2-33　グループチャットを開始する**

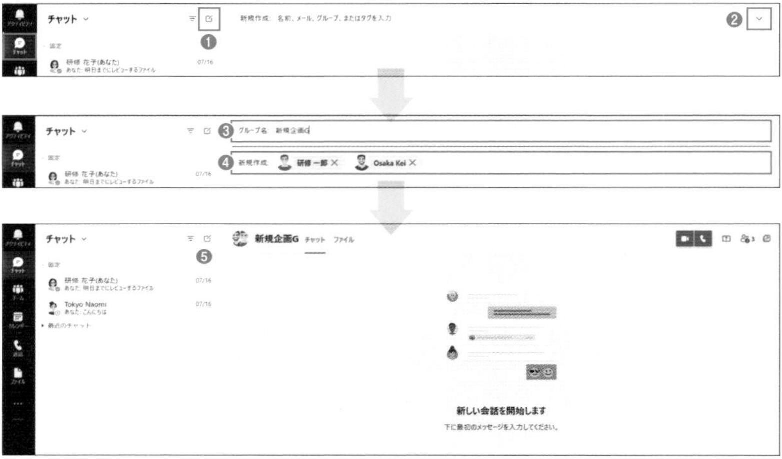


❶メニューアイコンから［チャット］をクリックし、［新しいチャット］をクリック
❷［V］をクリック（※省略した場合、❸のグループ名の入力ボックスは表示されない）
❸「グループ名」にグループ名を入力
❹「新規作成」に追加するメンバーの名前を入力し、該当者を選択（複数名可）
❺メンバーが揃ったら［Enter］キーを押下

## グループチャット開始後にグループ名を変更する

グループチャット作成時にグループ名を設定しなかったり、後からグループ名を変更したりしたい場合は、以下の方法で行います。なお、チャットがまだ開始されていない状態では、［名前グループチャット］のアイコンは表示されないので注意してください。

**図2-34 グループチャット開始後にグループ名を変更する**

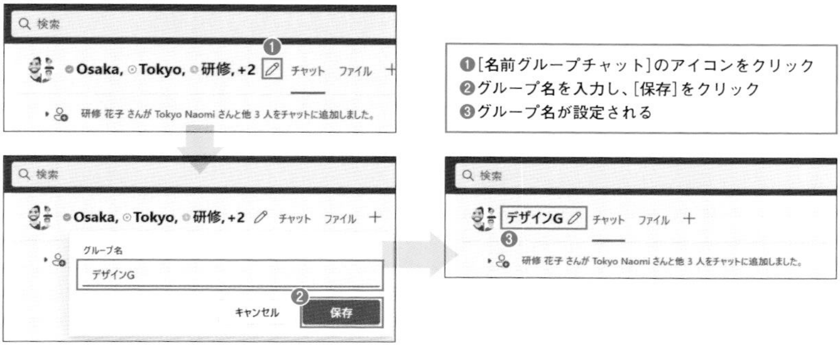


❶[名前グループチャット]のアイコンをクリック
❷グループ名を入力し、[保存]をクリック
❸グループ名が設定される

## グループチャットに後からメンバーを追加する

グループチャット作成後に、後から新しいメンバーをグループチャットに追加することも可能です。3名以上のグループチャットにメンバーを追加する場合、それまでのチャットを共有するかどうかを選択できるようになっています。

**図2-35 グループチャットに後からメンバーを追加する**

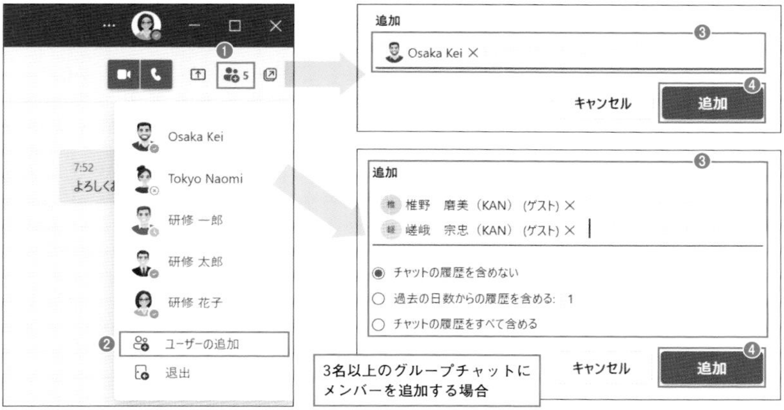


❶チャット画面右上の[ユーザーの追加]アイコンをクリック
❷[ユーザーの追加]をクリック
❸追加するメンバーの名前、メール、またはタグを入力し、該当者を選択（複数選択可）。3名以上のグループチャットにメンバーを追加する場合、過去のチャット履歴を追加メンバーへ開示するかを選択。履歴を開示しない場合は、新しいグループでグループチャットが開始される
❹[追加]をクリック

# ファイルや画面の共有でやりとりをスムーズにする

## 同じファイルを見ながらチャットする

**関係者の認識の齟齬を減らし、効率よくシゴトを進めるためには、必要な資料を共有することは必要不可欠**です。チャットでコミュニケーションする場合も、チャットに必要なファイルを共有し、同じファイルを見ながらコミュニケーションすることで、スムーズにやりとりができます。

同じファイルを見ながらコミュニケーションすることで、必要に応じて、その場でファイルの内容を修正することもできるので、修正したファイルをメールでやりとりするような手間も省くことが可能です。

### チャットにファイルを添付する（ファイルを共有する）

チャット中にファイルを共有したい場合、以下の４つの場所からファイルを選択し、ファイルをアップロードすることができます。

- 最近使ったアイテム
- チームとチャネルを参照
- OneDrive
- コンピューターからアップロード（自分のPCの任意の場所）

ただし、プライベートチャットとグループチャットの場合は、「OneDrive」と「コンピューターからアップロード」のどちらかのみとなるので注意してください。

**図2-36 ファイルを添付する**

❶[添付]アイコンをクリック
❷共有するファイルの場所を選択。その後共有するファイルを選択し、[開く]または[コピーをアップロード]または[リンク共有]をクリックして確定
※共有するファイルの場所によって画面が異なる
❸必要に応じてメッセージを入力し、[送信]をクリック

## 共有されたファイルを開く

共有されたファイルを開く場合、以下の方法があります。

- **Teams**
  Teams内でファイルを開く。共有されたファイルの内容の確認や、ちょっとした文字の修正などの簡易的な編集の場合に使用
- **デスクトップアプリ**
  デスクトップのOfficeアプリで開く。複数に分かれているExcelのシート、マクロが組み込まれたファイルなど、複雑なファイルの閲覧、編集に使用
- **ブラウザー**
  Office Onlineでファイルを開く
- **ダウンロード**
  ローカルにダウンロードして、デスクトップのOfficeアプリでファイルを開く
- **リンクをコピー**
  ファイルの保存されている場所のリンク情報をコピーする
- **これをタブで開く**
  Teamsに新しいタブを作成してファイルを開く

「ダウンロード」以外は、Teams上のファイルを操作することになり、編集した内容は、Teams上のファイルに直接、反映されます。そのため、ファイルをアップロードしなおすことなく、最新の情報を共有できます。ただし、ファイルを開いたまま放置してしまうと、ロックがかかってしまう場合があるので、ファイルを開いたままにしないように注意してください。

「ダウンロード」は、ご自身のPC（ローカル）上のファイルを操作することになるため、Teams上のファイルに反映されません。編集後は、ファイルをアップロードして上書きする必要があります。

また「Teams」「ブラウザー」「これをタブで開く」は、一部使えないOfficeの機能があるので注意が必要です。

**図2-37 共有されたファイルを開く**

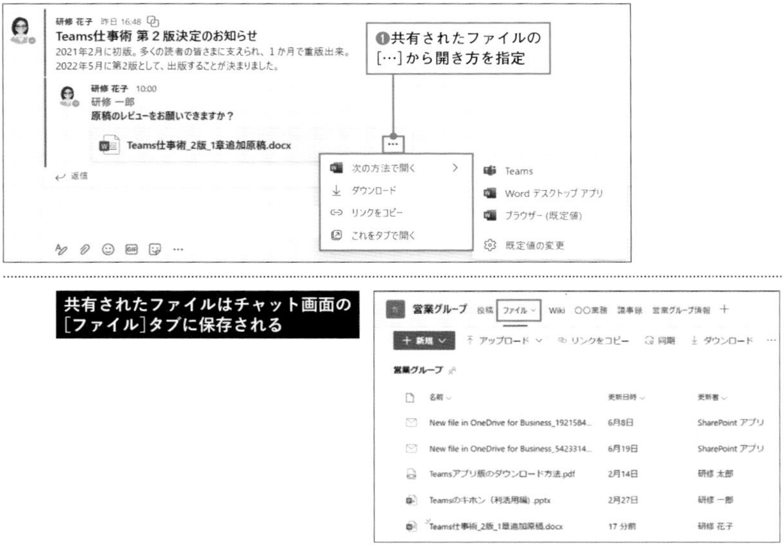


## 自分の画面を共有する

「自分のPCに保存されている資料を相手に見せながら説明したい」「画面操作を相手に見せながら説明したい」など、チャット中に、自分の画面を共有したい場合があります。Teamsは、会議だけでなく、チャットからも画面共有することができます。

## 図2-38　画面を共有する

❶[画面共有]のアイコンクリックし、共有する対象を選択
❷チャットの相手に画面共有のリクエストが行われる。相手が[画面要求を受け入れる]をクリック
❸相手に共有画面が表示される
❹画面上部の[制御を渡す]で相手を選択
❺共同編集が可能になる。制御を渡した側からは[コントロールをキャンセル]、受け取った側からは[制御を停止]で共同編集を終了。画面共有を終了する場合は[発表を停止]をクリック
❻[ミュート解除]で通話も可能

## チャネル上でのファイル管理

「チャネル」は、会話をまとめるだけでなく、チャネル毎にファイルを管理できます。チャネルに関連するファイルは、チャネルで管理します。

### ファイルをアップロードする

ファイルのアップロードは、図2-39の手順で行います。

**図2-39　ファイルをアップロードする**

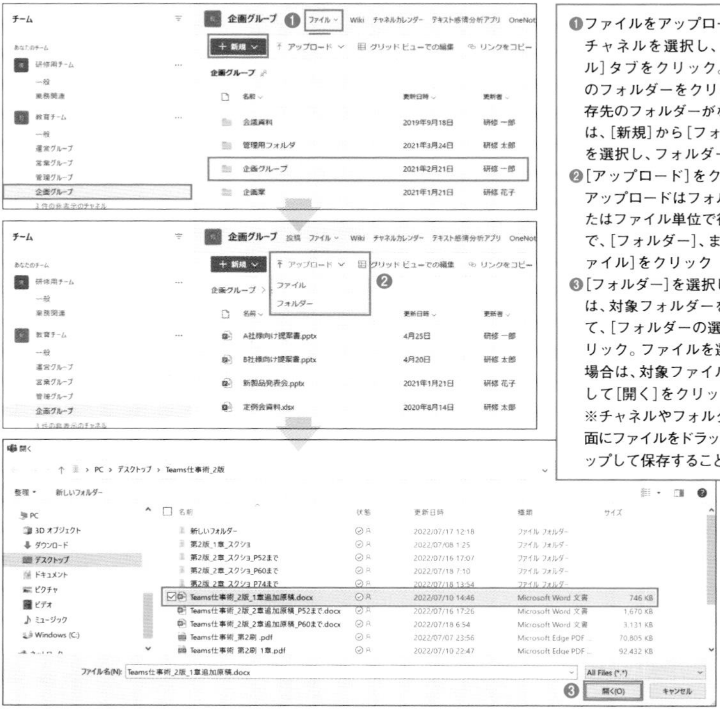


❶ファイルをアップロードするチャネルを選択し、[ファイル]タブをクリック。保存先のフォルダーをクリック。保存先のフォルダーがない場合は、[新規]から[フォルダー]を選択し、フォルダーを作成

❷[アップロード]をクリック。アップロードはフォルダーまたはファイル単位で行えるので、[フォルダー]、または[ファイル]をクリック

❸[フォルダー]を選択した場合は、対象フォルダーを選択して、[フォルダーの選択]をクリック。ファイルを選択した場合は、対象ファイルを選択して[開く]をクリック

※チャネルやフォルダーの画面にファイルをドラッグ＆ドロップして保存することも可能

### 【Tips】フォルダーを作成し、ファイルは階層構造で整理・管理する

チャットに添付する方法（図2-36）でファイルを共有した場合、チャネルの「ファイル」直下にファイルが配置されます（図2-37）。この方法は非常に便利なのですが、長期に運用していると、「ファイル」直下にファイルが累

積していくので、ファイルを探しづらくなります。

**チャネルで扱うファイルが多くなる場合、フォルダーを作成し、階層構造で整理する・管理する運用ルールを検討**してください。

## ファイルを編集・削除する

Teamsのチャネルに保存されているファイルを編集、または、削除する場合、次の手順で行います。

**図2-40　ファイルを編集・削除する**

**編集**

❶ファイルが保存されているチャネルの[ファイル]タブをクリック

❷ファイル名にカーソルを位置付けると表示される[…]クリック。メニューから[開く]をクリックし、ファイルを開く方法を選択

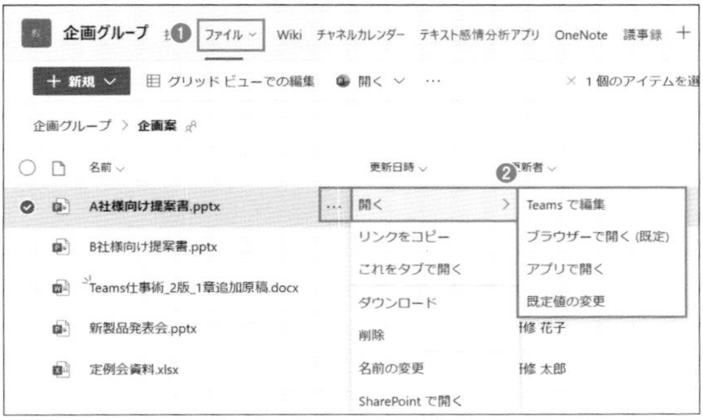


**削除**

❶ファイルを選択した後、上部のメニューに表示される[…]をクリック（または、ファイル名にカーソルを位置づけたときに表示される[…]をクリック）

※複数のファイルを選択した場合は、上部のメニューにも[削除]が表示される

❷メニューから[削除]をクリック

❸「削除しますか？」というメッセージが出るので、[削除する]をクリック

## ファイルを復元する

Teamsのチャネルで管理されているファイルは、SharePoint※4で保存されています。そのため、削除したファイルを復元してもとに戻す場合は、Share

※4：SharePointは、Microsoft 365で提供される別サービスで、Webサイトやコンテンツ共有をサポートする。

Pointから操作を行う必要があります。

**図2-41　ファイルを復元する**

❶復元したいファイルが保存されていたチャネルの[ファイル]タブをクリック　❷上部のメニューに表示される[…]をクリックし、[SharePointで開く]をクリック　❸Webブラウザーが起動し、SharePointの画面が表示される(チャネルのファイルがSharePointで管理されていることが確認できる)　❹[ごみ箱]をクリック　❺復元したいフォルダーやファイルを選択し、[復元]をクリック

## 情報の一元管理！　リンクで情報の場所を共有する

「ファイルの保存場所」や「投稿のやりとり（スレッド）」など、情報の場所を誰かに伝える場合、その場所を示すリンクを共有できれば、相手はリンクをクリックするだけで、その場所に移動することができるので便利です。

図2-42 ファイルのリンクを取得する

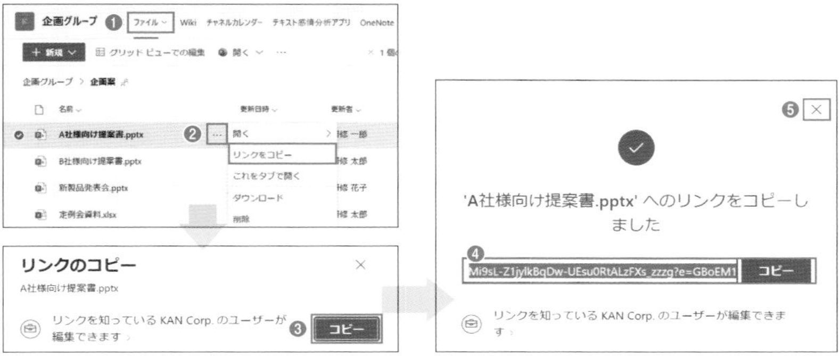


❶ファイルが保存されているチャネルの[ファイル]タブをクリック　❷ファイル名にカーソルを位置づけると表示される[…]をクリックし、[リンクをコピー]をクリック　❸[コピー]をクリック　❹URL(リンク)が表示されるので、[コピー]をクリックする。コピーしたURLをチャットやメールで相手に伝える　❺右上の[×](閉じる)ボタンをクリック

## チーム・チャネル・スレッドのリンクを取得する

チームやチャネルのリンクも簡単に取得できます。チーム名、チャネル名の右にある［…］をクリックし、［チームへのリンクを取得］または［チャネルへのリンクの取得］から、リンクをコピーします。

スレッドの場合は、リンクを取得したいスレッド内にカーソルを合わせ、表示された［…］をクリックし、［リンクをコピー］をクリックします。

## 【Tips】リンクを、相手に見やすく、分かりやすく共有する

コピーしたリンクをTeamsチャットのテキストボックスに貼り付けると、図2-43のように、読みやすく自動変換される場合と、アルファベットや数字の長い文字の羅列（URL）のままの場合があります。

図2-43 コピーしたリンクの表示

相手に見やすく、分かりやすく記述することは、チャットにおいて大切なポイントです。自動変換された文字列の修正や、自動変換されない文字の羅列に、分かりやすい文字列を設定する場合、以下の方法で行えます。

## 図2-44 テキストボックスに貼り付けた後のリンクを修正する

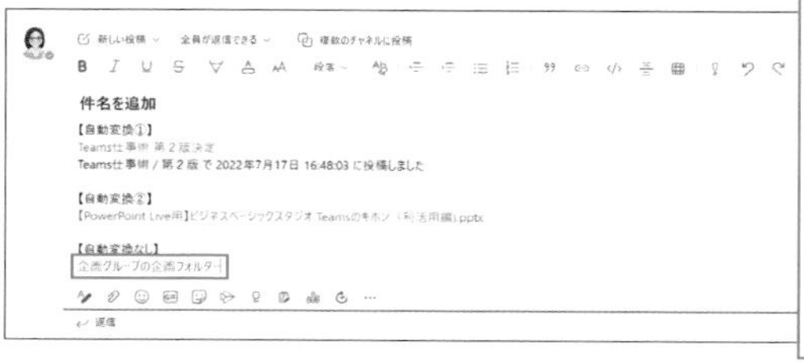


❶(投稿の編集が有効な状況で)[書式]をクリック　❷修正するリンク情報(紫色の文字)の最後にカーソルを位置づける　❸書式バーの[リンクを挿入]をクリック。[リンクを挿入]が表示されていない場合は、[…]をクリックし、[リンク]をクリック　❹「表示するテキスト」のテキストボックス右側の[×]をクリックし、文字を削除する　❺「表示するテキスト」に任意の文字列を設定し、[挿入]をクリック

## 図2-45 新規にリンクを挿入する

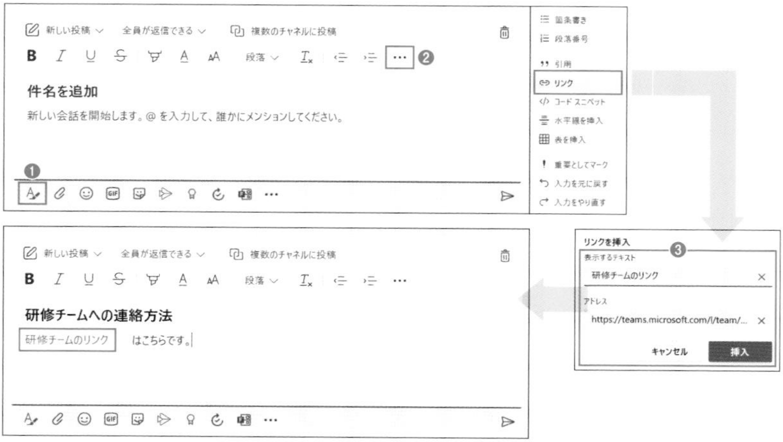


❶(投稿の編集が有効な状況で)[書式]をクリック　❷書式バーの[リンクを挿入]をクリック。[リンクを挿入]が表示されていない場合は、[…]をクリックし、[リンク]をクリック　❸「表示するテキスト」に任意の文字列を入力、「アドレス」にコピーしたリンクを貼り付け、[挿入]をクリック

# Teams内の情報をすばやく検索する

## メッセージをまとめて確認する

素早いやりとりができるのがチャットの魅力ですが、必ずしも、すぐにメッセージを確認して、処理できるわけではありません。「未読」メッセージや一次回答したメッセージを後からまとめて確認したい場合があります。

また、「チーム」や「チャネル」を利用して情報を構造化して管理していても、情報量が増えてくると、検索が必要な場面も出てくるでしょう。ここでは、求めている情報に辿り着くための方法を紹介します。

**図2-46 未読と既読**

「チャネル」に未読メッセージがある場合、チャネル名は太字（ボールド）で表示されます。「チャット」の場合は、アプリバーの「チャット」に未読数が表示され、未読メッセージは太字（ボールド）で表示されます。

### 自分に関連するアクティビティ（活動）を見る

自分や所属するチームを指定して投稿されたメッセージは、「アクティビティ（活動）」※5から一覧で確認することができます。

※5：2022年7月7日現在の表記は「アクティビティ」。2022年9月1日現在の表記は「活動」。

## 図2-47　自分に関連するアクティビティ（活動）を見る

❶アプリバーから［アクティビティ（活動）］をクリック
❷自分宛ての投稿が一覧で表示される。「いいね」のリアクションの確認もできる。投稿をクリックすると、メインウィンドウで該当の投稿を確認可能
❸［フィード］を条件に合わせてフィルタリングしたい場合、［フィルター］をクリック
❹［…］からフィルターを選択
❺現在のフィルターを解除する場合は、フィルターマーク横の［×］をクリック
❻フィルターを閉じる場合は、［フィルターを入力］の右側に表示される［×］をクリック

**フィルターの種類**

未読：「自分が未読」である情報が表示される

メンション：「自分に対してメンション」された情報が表示される

返信：「自分の投稿に対して返信」された投稿が表示される

リアクション：「自分の投稿に対してリアクション」された投稿が表示される

不在着信：不在着信があった場合、その情報が表示される

ボイスメール：ボイスメールがあった場合、その情報が表示される

アプリ：アプリやボットから送信されたメッセージが表示される

**フィードとマイアクティビティ**

フィード：チームメンバーからの投稿やメンションなど、自分に関係するすべてのアクションが表示される（既定の設定）

マイアクティビティ：自分が行った投稿やメンションなど、すべてのアクションが表示される（キーワードによるフィルター（検索）のみ可能）

## Teamsの検索ボックスを使いこなす！

Teams画面の上部にある「検索ボックス」を使うと、「メッセージ」「ユーザー」「ファイル」を検索できます。また、「検索ボックス」で「/コマンド」を利用して、さまざまな機能を実行することも可能です。

**図2-48　検索ボックスで検索する**

❶画面上部の検索ボックスに、キーワードを入力して[Enter]キーを押下

❷キーワードに一致する結果が表示される

❸検索結果は、「メッセージ」「ユーザー」「ファイル」で分類することができ、さらにフィルターを使って絞り込むことも可能

「メッセージ」で「自分をメンションされた」

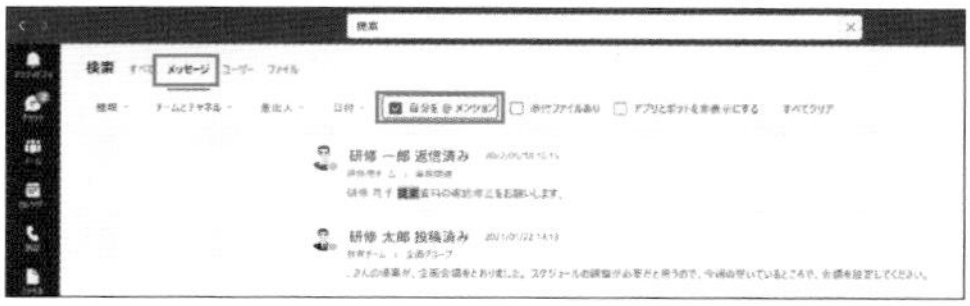

「ファイル」でファイルの種類が「PowerPoint」

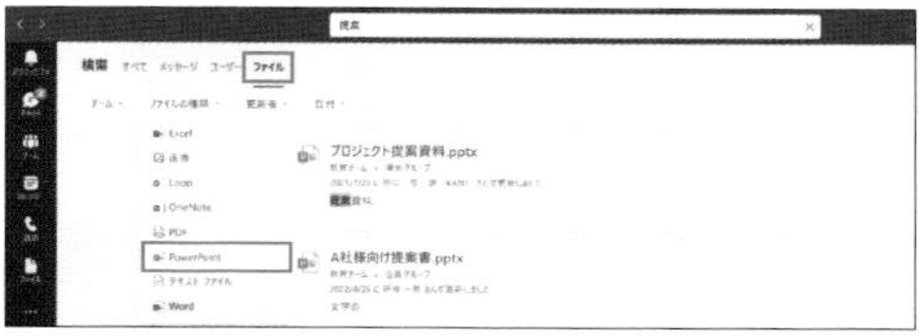

## コマンドを実行する

検索ボックスで、「/」（半角のスラッシュ）を入力すると、検索ボックスで利用できるコマンド一覧が表示されます。よく使う検索コマンドは、覚えておくとよいでしょう。

キーワード検索をする際、「AND」「OR」「NOT」「＊」（ワイルドカード）「filetype：」などを使って、条件で絞り込むと効率よく検索することができます。例えば、「/find」を使うと、チャネルやチャットを絞り込んで検索できます。

図2-49 「/find」を使って絞り込み検索をする

❶検索ボックスで、「/」を入力し、「/find」を選択
❷「チャネル/チャット」で、検索対象とする「チャネル」か「チャット」を選択
❸検索キーワードを入力して、[Enter]キーを押下
❹検索対象の範囲で、検索キーワードにヒットした情報が表示される

## 【Tips】同じ事柄を表す場合、組織やチームで「同じ言葉」を使う

検索ボックスやフィルターを使えば、Teams内の情報をすばやく検索できますが、意外と気づかないのは、共通の事柄に「異なる言葉」を使っている場合です。例えば、「就業時間内」「定時内」は同じ意味を示す言葉ですが、混在して使われている場合、該当する情報に辿り着くには、両方の言葉で検索する必要があるかもしれません。同じ事柄を表す場合、チームで「同じ言葉」を使う習慣にすると、必要な情報に効率よく辿り着くことができます。

# 第3章

# 会議のキホン

# 「時間」と「場所」の調整から「目的」と「効率」で選ぶ時代へ

いつの時代も、ビジネスパーソンに必要なシゴトの１つに「会議」があります。ニューノーマル時代の「働き方」になっても、「会議」が必要なことは変わりません。変わったのは、それまで「リアル集合型」で実施されていた会議の多くを「オンライン集合型」で実施可能にしたことであり、結果として実施形態が３パターンになった点です。

**ニューノーマル時代の「会議の実施形態」は３種類**

参加者全員が物理的な会議室に集合する**リアル集合型**

参加者全員が仮想空間の会議に集合する**オンライン集合型**

物理的な会議室と仮想空間の両方の参加者をつなぐ**ハイブリッド集合型**

制度的にも、環境的にも「オンライン集合型」が可能になったことで、「働く場所」が「暮らす場所」に近づき、自宅からオンライン会議に参加することが、すでに日常の一部となっている方もいると思います。

参加者が物理的な会議室に集まる「リアル集合型」しか選択肢がなかった時代は、全員が集まれる時間と規模の「物理的な会議室」をおさえるために「会議室の予約合戦」が繰り広げられ、「時間」と「場所」の調整に時間を費やしていました。調整に時間を費やすことで、会議の開催が遅くなり、ビジネス上の決断も遅くなるという悪循環が起きていました。

しかし、オンライン会議ツールが広く普及し、状況は大きく変わりました。「オンライン集合型」や「ハイブリッド集合型」で会議を実施することが可能になり、「物理的に同じ空間に全員が集まる」ことから解放され、時間の選択肢が広がるようになったのです。このような「時間」と「空間」の視点から、コミュニケーション方法による相手との調整時間を整理したのが、図3-1です。

**図3-1　コミュニケーション方法による相手との調整時間の大小**

バーチャル（仮想空間）上とはいえ、「オンライン会議」も参加者が集まる「場所」を合わせる必要があることには違いありません。この点から、ダイレクトにコミュニケーションを行う「電話」よりも、調整時間はどうしても大きくなります。

しかし２章の図2-1で解説したように、「電話」ではどうしても伝えることのできない「顔の表情」などの情報伝達が不可欠な場面があります。これは今まで、多大な調整時間がかかる、対面のコミュニケーション（リアル集合型）でなければ不可能だと考えられていたことでした。しかし「オンライン会議」は、空間の「物理的な制約」から解放されているにもかかわらず、対面に近いコミュニケーションを実現できます。つまり会議によっては、「リアル集合型」から「オンライン集合型」に移行することで、その目的をより短い時間で実現できるようになるのです。

このような状況において、**ビジネスパーソンに求められることは、「目的」と「効率」を考えた上で、会議形態を使い分けられるスキル**です。特に、「オンライン集合型」の会議を効果的に行うことは、今後ますます重要になってくるでしょう。本章では「オンライン集合型」の会議を実現する、Teams会議のキホンにあたる機能を解説していきますが、どのような「目的」で利用するのか、どのように「効率」が変わってくるのかを意識しながら、読み進めていただきたいと思います。

# いつでも、どこからでもTeams会議を開く

## 会議には必ずアジェンダ（議事日程）を設定

Teams会議は、以下の方法で設定することができます。

- Teamsから会議を設定
- Outlookから会議を設定
- OWA（Outlook on the web）から会議を設定

アジェンダの記載がなくてもTeams会議を設定することはできますが、効率的な会議を行うためには、会議前の準備が重要です（詳細は第4章）。目的、資料、タイムスケジュール、参加者の役割などを明確にして、会議設定に記載しておきましょう。

図3-2 会議のアジェンダを書く

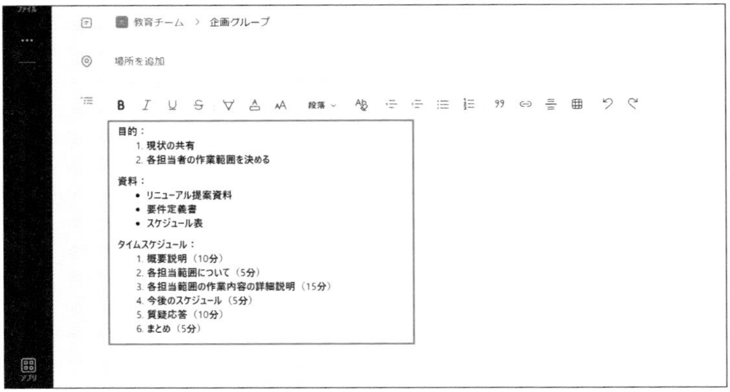
ファイル
教育チーム > 企画グループ
場所を追加
段落
目的：
1. 現状の共有
2. 各担当者の作業範囲を決める
資料：
• リニューアル提案資料
• 要件定義書
• スケジュール表
タイムスケジュール：
1. 概要説明（10分）
2. 各担当範囲について（5分）
3. 各担当範囲の作業内容の詳細説明（15分）
4. 今後のスケジュール（5分）
5. 質疑応答（10分）
6. まとめ（5分）
アプリ

## Teamsから会議を設定

まずはTeamsから会議を設定する方法を紹介します。最大1000人※1が会議に参加でき、会議チャットでメッセージを送信することも可能です。

「必須出席者を追加」の欄に、参加メンバーの名前またはメールアドレスを入力し、検索結果よりメンバーを選択することで参加者を追加できます。

また、会議作成時にチャネルを選択すると、選択したチャネルに会議予定が投稿されます。

**図3-3　TeamsでTeams会議を設定する**

❶[カレンダー]をクリック
❷[＋新しい会議]をクリック
❸必要事項を入力・選択
❹(任意)チャネルに紐づける場合、該当するチャネルを選択
❺参加者を設定していない場合は[保存](参加者を設定した場合は[送信])をクリック
❻カレンダーに会議が設定される

※1：会議でブレークアウトルームを作成した場合、会議の出席者数が自動的に300人に制限される。また、Teamsでは、「会議」のほかに「ウェビナー」「ライブイベント」を開催することができる。「ライブイベント」の視聴のみであれば、10000人まで参加が可能（2022年12月31日までは、特別対応で、20000人まで参加可能）。

### Teams会議をチャネルに追加して管理する

情報を管理する際、情報がバラバラにならないように、情報をまとめるための仕組みが必要です。Teamsでは「チーム」や「チャネル」を使って、情報を構造的に管理することができます。

会議設定時にチャネルを指定すると（図3-3 参照）、会議をチームのチャネルに紐づけることができるので、会議を管理しやすくなります※2。

図3-4　Teams会議をチャネルに紐づける

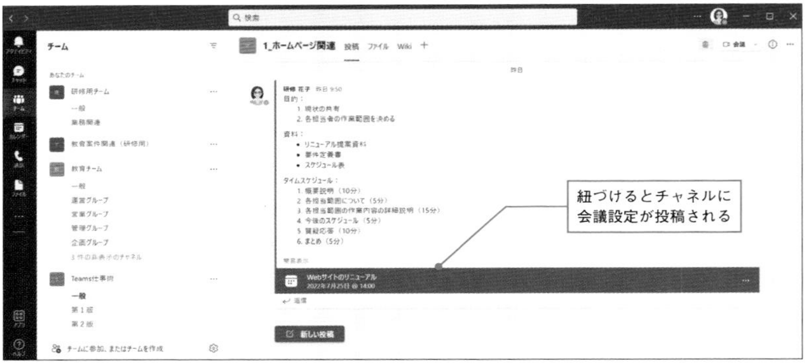


## Teams会議の種類

チャネルに紐づいた会議と、チャネルを設定せずに、「今すぐ会議」や「予定された会議」で設定された会議との違いは、会議チャットで共有されたファイルの保存場所が異なります。Teamsでは、グループ通話を使って複数名で通話も可能ですが、この場合参加できる人数は20名までになります。

また、組織外のユーザーを「ゲストユーザー」としてTeams会議に参加させることができます。「ゲストユーザー」以外にも、条件によって、ユーザーは表3-2のように分類されます。

※2：会議作成時にチャネルを指定できるのは、Teamsから会議を作成した場合のみ（2022年7月現在）。

**表3-1　Teams会議の種類**

| | チャネル会議 | カレンダーの今すぐ会議・予定された会議 | グループ通話 |
|---|---|---|---|
| 参加可能人数 | 1000人 | 1000人 | 20人 |
| 会議チャットの保存先 | チャネル | チャット | チャット |
| 会議チャットで共有されたファイルの保管場所 | チャネルのファイル・SharePoint Online | 投稿者のOneDrive for Business | 投稿者のOneDrive for Business |
| ゲストユーザーの参加 | OK | OK | OK |
| 匿名ユーザーの参加 | OK | OK | NG |
| チームメンバー外の組織のユーザーの参加 | OK ※ただしチャットが利用不可 | OK | OK |

**表3-2　ユーザーの分類**

| 種類 | 説明 |
|---|---|
| ゲストユーザー | 組織のアカウントを持っていないユーザー。Microsoftアカウントを保持していない場合も、通常のメールアカウント（Outlook.com、Gmail.comなど）を持つユーザーであれば、ゲストとして招待が可能。既定では、Teams会議の参加者として登録すると、ゲストユーザーとしてTeams会議に参加できる |
| 匿名ユーザー | リンクを介して会議に参加するユーザー。Teams会議に参加するためのリンクをクリックすることができれば、誰でも会議に参加できる |
| 外部（フェデレーション）ユーザー | 別組織のMicrosoftアカウントを保持するユーザー。匿名ユーザーと異なり、別組織のAzure ADにサインインし、認証されているユーザーが会議に参加できる |

## 会議の参加者の役割と会議のオプション

Teams会議では、会議を開催する「開催者」の他に、会議で発表をする「発表者」、会議で発表はしない「出席者」の3種類の役割が存在します。「発表者」と「出席者」では、会議中に行える操作が異なります。

- **発表者**

  コンテンツの共有、録画の開始など、会議で行う必要がある操作がすべて可能
- **出席者**

  会議チャットへの参加、PowerPointのプライベート表示（p.119参照）のみ操作可。PowerPointや画面の共有など、コンテンツの共有は不可

## 会議のオプション設定を変更する

会議のオプション設定を変更したい場合は、カレンダーの会議をダブルクリックして「詳細」画面を開き、[会議のオプション] から設定を変更します。

**図3-5 会議のオプションを設定する**

| | |
|---|---|
| ロビーを迂回するユーザー | 会議に直接参加可能なユーザーを選択できる。直接参加できないユーザーは参加時に開催者の許可があるまで、ロビーに待機となる |
| 電話ユーザーによるロビーの迂回を常に許可する | Teams アプリを使用できない場合など、電話番号をダイヤルして参加(コールイン)する出席者は、ロビー内で待機しなくても会議にすぐに参加できる |
| 電話ユーザーが参加または退出したときに知らせる | 電話番号をダイヤルして参加(コールイン)する出席者が参加・退席するときに、開催者は通知を受け取ることができる |
| 共同開催者を選択 | 会議設定者以外のユーザーを、共同開催者として設定できる |
| 発表者となるユーザー | 参加者の中でプレゼンテーション(発表)ができるユーザーを選択できる |
| 出席者のマイクを許可しますか? | 出席者が自分でマイクをオン/オフするかどうかを選択できる |
| 出席者のカメラを許可しますか? | 出席者が自分でカメラをオン/オフするかどうかを選択できる |
| 自動的にレコード | 会議開始時、自動的に録画を開始するかどうかを選択できる |
| 会議のチャットを許可する ※チャネルに紐づけた会議の場合、この選択肢は非表示 | 会議チャットへの書き込みを許可するかどうかを「有効/無効/会議中のみ」から選択できる |
| 会議中のリアクションを許可しますか? | 会議の参加者がリアクション機能を使用可能かどうかを選択できる |
| Q & A を有効にする | 会議中にQ & A機能を使って質疑応答できるようにするかを選択できる |
| CART キャプションの提供 | CART キャプションを提供するかどうかを選択できる※3 |

※3:Teamsに組み込まれている「ライブキャプション」をオンにすると、音声をすべて字幕化するが、CARTキャプションは、Captioner(字幕作成者)と呼ばれる人が、電子速記キーボード、音声認識ソフトウェア、CARTソフトウェアなどを使用して、適切な翻訳を生成し、その翻訳をスクリーン、ノートPC、その他のデバイスに配信するための仕組み。

## 会議参加者のスケジュールを確認する

Teams会議を設定する際、必須参加者や任意参加者を指定すると、参加者の予定が重複している場合は「取り込み中」、確定していない予定が入っている場合は「仮の予定」、空いている場合は、「空き時間」と表示されます。

会議参加者の予定が重複しない候補時間がある場合、候補が表示されます。表示された候補時間をクリックすると、簡単に会議のスケジュールを調整することができます。

また、参加者のスケジュールを確認するために、「スケジュールアシスタント」を利用することもできます。これを使うと、必須参加者のスケジュールを見て、他にスケジュールが入っていないかどうかを確認しながら日程調整ができます。

**図3-6　スケジュールを確認する**

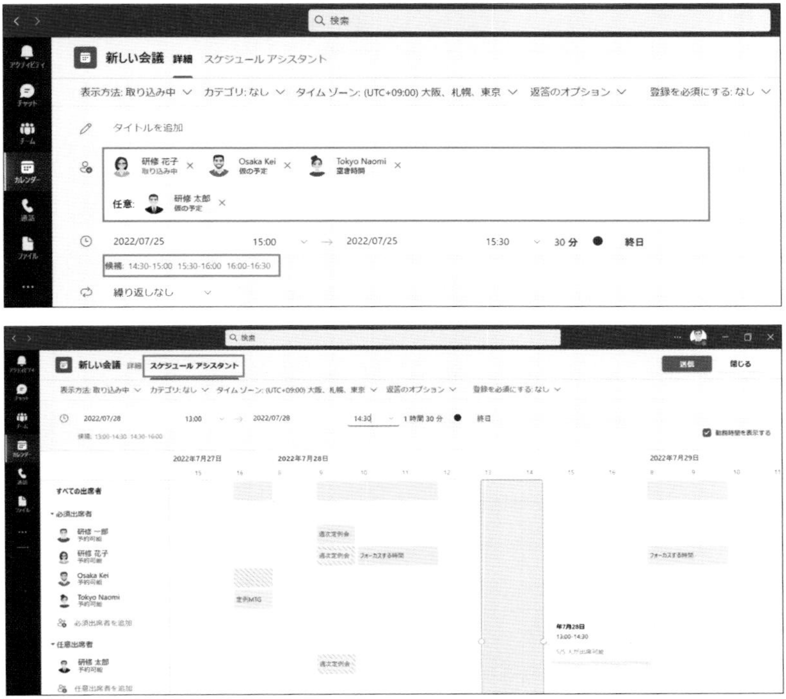

## 会議時間外に会議参加者とチャットする

Teams会議は、会議チャットが有効（既定）に設定されていれば、会議の開始前でも、終了後でも、会議チャットを利用することができます。

「会議に関連するやり取りは、Teams会議チャットを使う」ルールを浸透させることで、「会議の準備（始まり）」⇒「会議開催」⇒「会議の後処理（終わり）」までに生じるすべてのやり取りを、会議チャットに集約させることができます。

**図3-7　会議参加者とチャットする**

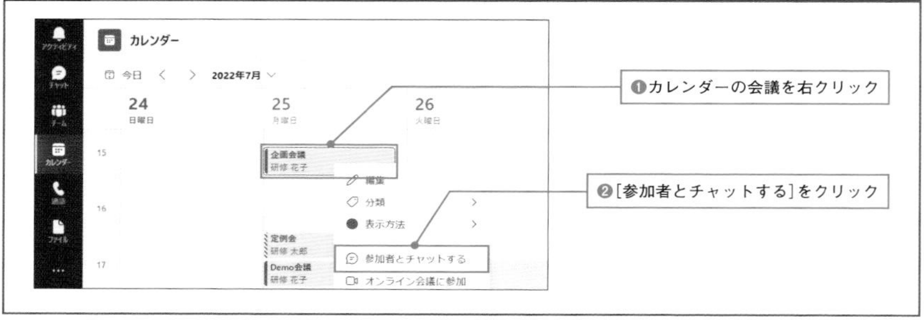


## 急な会議もすぐに開ける！

Teamsでは、事前に予定された会議だけではなく、チャットをしている途中から会議に変更するなど、必要に応じて柔軟に会議を開催できます。

以下の［ビデオ通話］と［音声通話］は、カメラが有効な状態で会議が開始されるかどうかの違いです。会議開始後に切り替えることも可能です。

**図3-8　チャットから会議を開始する**

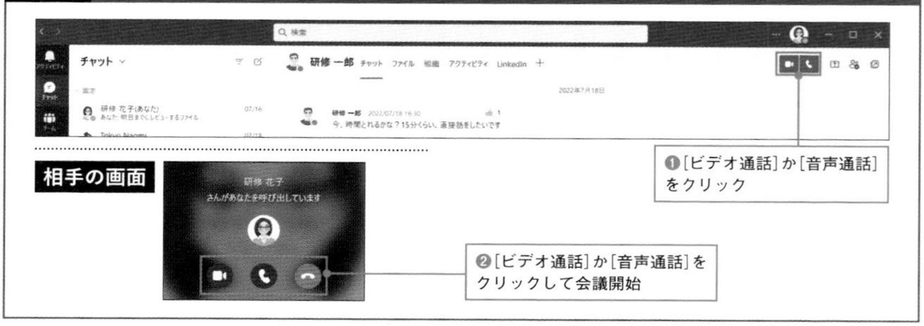

## チャネルから会議を開く

　チャネルの［会議］アイコンから、会議を開始することも可能です。チャネルから開始した会議はスレッドに投稿され、誰でも参加することができます。チャネルの右上に表示される［会議］アイコンをクリックするか、アイコンの横にある［∨］をクリックすると表示されるプルダウンメニューから、［今すぐ会議］を選択します。会議を予約したい場合は、［会議をスケジュール］をクリックします。

**図3-9　チャネルから会議を開始する**

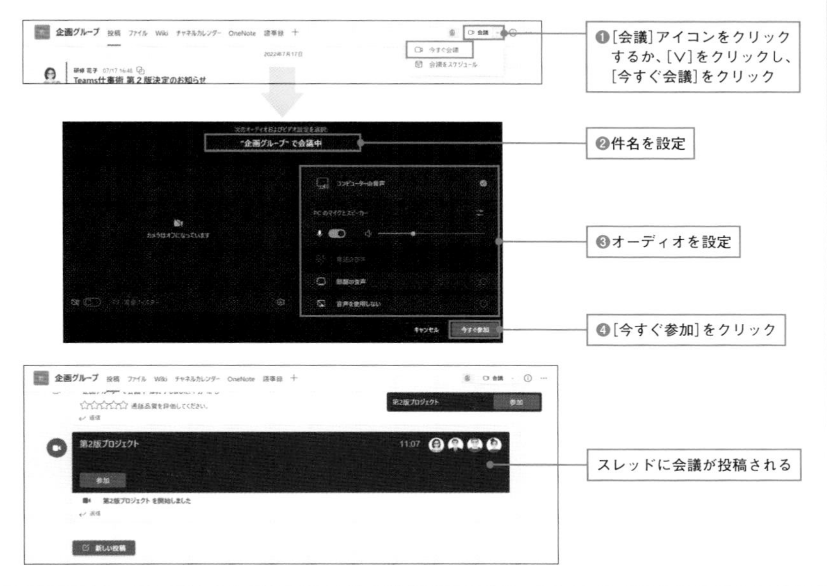
❶［会議］アイコンをクリックするか、［∨］をクリックし、［今すぐ会議］をクリック
❷件名を設定
❸オーディオを設定
❹［今すぐ参加］をクリック
スレッドに会議が投稿される
企画グループ
"企画グループ" で会議中
第2版プロジェクト
参加
新しい投稿

## Teams以外から会議を設定する

### Outlookから会議を設定する

Outlookから会議を設定する場合は、メニューの［新しいTeams会議］から行います。

**図3-10　OutlookでTeams会議を設定する**

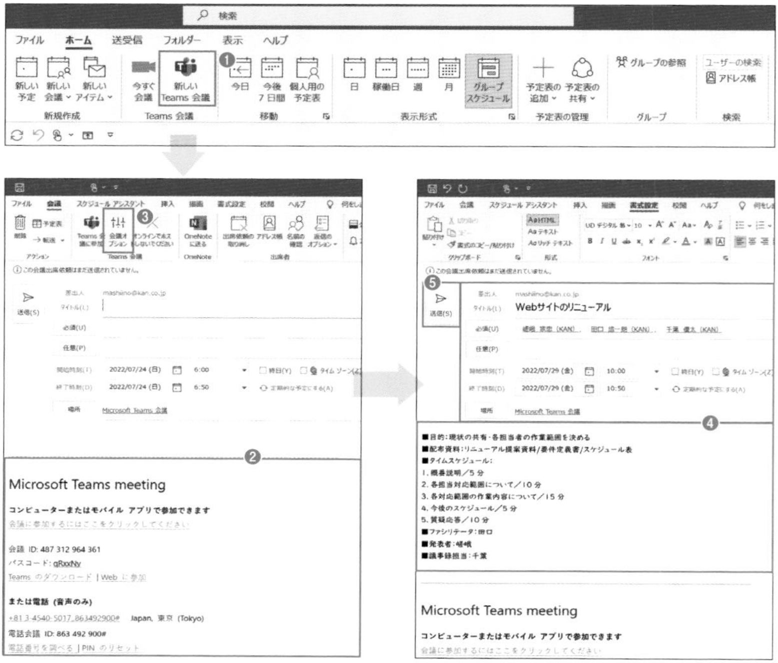


❶［新しいTeams会議］をクリック
❷Teams会議の情報が設定される
❸Teams会議のオプション設定を変更する場合は、［会議オプション］をクリック
　※［オンラインでホストしないでください］をクリックすると、Teams会議が解除され、②のTeams会議情報が削除される
❹必要事項を入力・選択
❺［送信］をクリック

## 【Tips】テンプレートを利用して会議のアジェンダを設定する

Outlookのマイテンプレート機能を利用すると、よく使う文面をテンプレートとして登録しておくことができます。この機能を利用して、アジェンダのテンプレートを作成しておくと、アジェンダの記入時間を短縮できます。

### 図3-11 Outlookのマイテンプレートを作成する

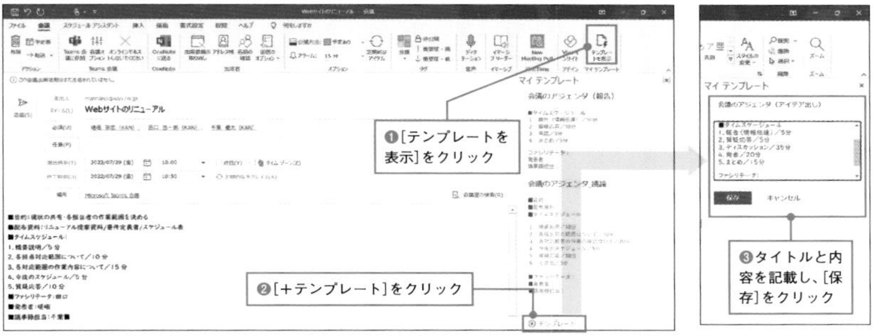
❶[テンプレートを表示]をクリック
❷[＋テンプレート]をクリック
❸タイトルと内容を記載し、[保存]をクリック

### 図3-12 Outlookのマイテンプレートを利用する

❶[テンプレートを表示]をクリック
❸挿入された文面を修正・加筆する
❷利用するテンプレートをクリック

## OWAから会議を設定する

OWA（Outlook on the web）から会議を設定したい場合は、画面左上にある［新しいイベント］から行います。

図3-13　OWAでTeams会議を設定する

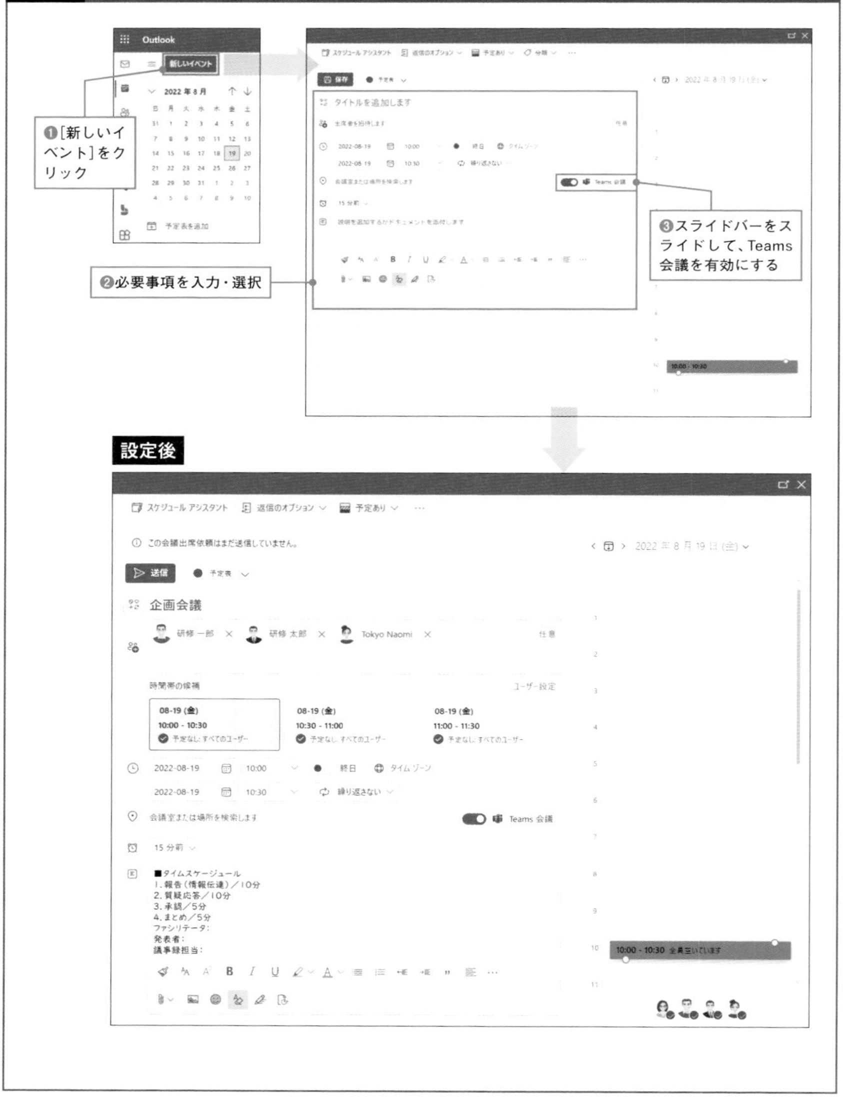

# 「会議に参加する」から「会議を退出する」まで

## 「必要な会議だけに参加する」をチームのルールにする

あなたが会議を設定する際、「会議の目的」「期待する成果物」「タイムスケジュール」「参加者の役割」など、効率的な会議を実施するために必要な情報を記載していますか？　また、会議に招待された際、本当に必要な会議だけに参加していますか？

非効率な会議が多い組織の共通点は、参加者の役割が明確化されておらず、とりあえず、大勢の人を会議に招待する習慣が暗黙のルールになっています。参加人数が多くなればなるほど、組織のたくさんの時間（参加人数×時間）が費やされるだけでなく、モノゴトの決定に時間がかかります。**「参加者の役割が明記されていない会議は辞退する」「役割として他の人の方が適している場合は、適任者を紹介して辞退する」を組織のルール**にすることで、組織の意思決定スピードをあげることができます（詳細は4章）。

## Teams会議に参加する方法

1章で説明したとおり、Teamsは、**情報や機能を集約し、「情報の見える化」と「業務の見える化」を実現する**プラットフォームとして設計されています。そのため、組織内のメンバーとの連携だけでなく、組織外のヒトと協働できるように、さまざまな機能が提供されています。

たとえば、Teams会議に参加する際、Teamsアプリケーションを使って、Teams会議のリンク（URL）から会議に参加することができますが、「会議ID」と「パスコード」を使ってTeams会議に参加することもできるので、デバイスにTeamsアプリケーションがインストールされていなくてもTeams会議に参加することができます。

Teams会議を設定すると、Teams会議に参加するための情報（図3-14）が生成されるので、参加者は、状況に応じて、参加方法を選ぶことができます。

**図3-14　Teams会議に参加するための情報**

Microsoft Teams meeting
コンピューターまたはモバイル アプリで参加できます
会議に参加するにはここをクリックしてください
会議 ID: 464 016
パスコード: GzXJJN
Teams のダウンロード | Web に参加
または電話 (音声のみ)
+81 3-4540-,,,1913#　Japan, 東京 (Tokyo)
電話会議 ID: 191 336#
電話番号を調べる | PIN のリセット
詳細情報ヘルプ | 会議のオプション

Teamsの予定された会議に参加する場合、以下のいずれかの方法で参加することができます。本書では、メインの参加方法となる、TeamsとOutlookから参加する方法を説明します※4。

- アプリケーションを利用して、Teams会議のリンク（URL）から会議に参加する
  - ・Teamsから会議に参加する
  - ・Outlook/Outlook on the web（OWA）から会議に参加する
  - ・Webブラウザから会議に参加する
- 会議IDとパスコードを利用して、会議に参加する※5
- 電話番号と電話会議IDを利用して、電話の音声のみで会議に参加する※6

## Teamsから会議に参加する方法

Teamsから会議に参加する場合、会議の予定時間になると、カレンダーに［参加］ボタンが表示されるので、これをクリックして会議に参加します。

※4：会議への参加方法の詳細については、以下を参照。
https://support.microsoft.com/ja-jp/office/teams-%E3%81%A7%E3%81%AE%E4%BC%9A%E8%AD%B0%E3%81%AB%E5%8F%82%E5%8A%A0%E3%81%99%E3%82%8B-1613bb53-f3fa-431e-85a9-d6a91e3468c9#bkmk_call

## 図3-15 Teams から Teams 会議に参加する

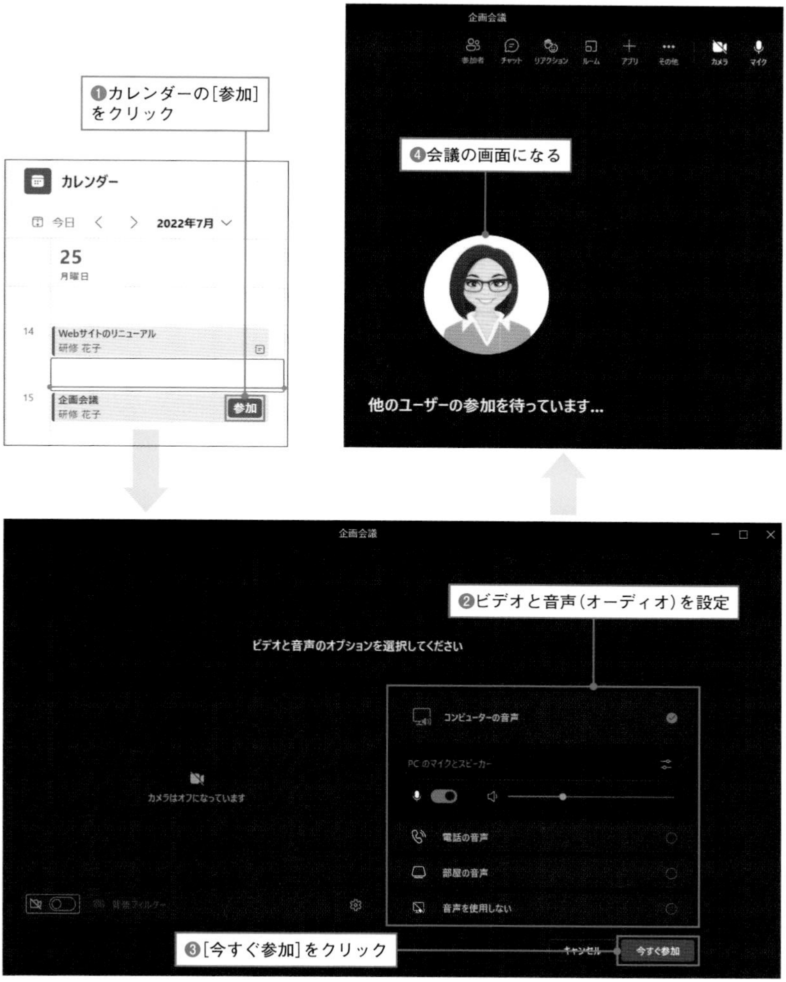


| | |
|---|---|
| コンピューターの音声 | コンピュータに接続されているマイクとスピーカーが使える |
| 電話の音声 | 電話番号と電話会議IDを使って、電話で会議に参加できる(音声のみの参加) |
| 部屋の音声 | 会議室にTeams Roomsが導入されている場合に選択できる |
| 音声を使用しない | オーディオを使わないでミュートで会議に参加できる |

※5：アプリケーションがインストールされていない場合にも利用可能。Webブラウザで下記サイトにアクセスし、IDとパスコードを入力する。https://www.microsoft.com/ja-jp/microsoft-teams/join-a-meeting
※6：この方法で参加する場合は、表示される電話番号にダイヤルし、音声指示にしたがう。

## Outlookから会議に参加する

予定表の会議にカーソルを位置づけると、会議情報が表示されます。開催時間が近い会議の場合、［オンラインで参加］が表示されるので、これをクリックして会議に参加することができます。また、予定表の会議を選択した後、［会議］タブの［Teams会議に参加］をクリックしても会議に参加することができます。そして、参加する会議の予定を開き、本文中のリンク［会議に参加するにはここをクリックしてください］をクリックしても、会議に参加することができます。

**図3-16　Outlookから会議に参加する**

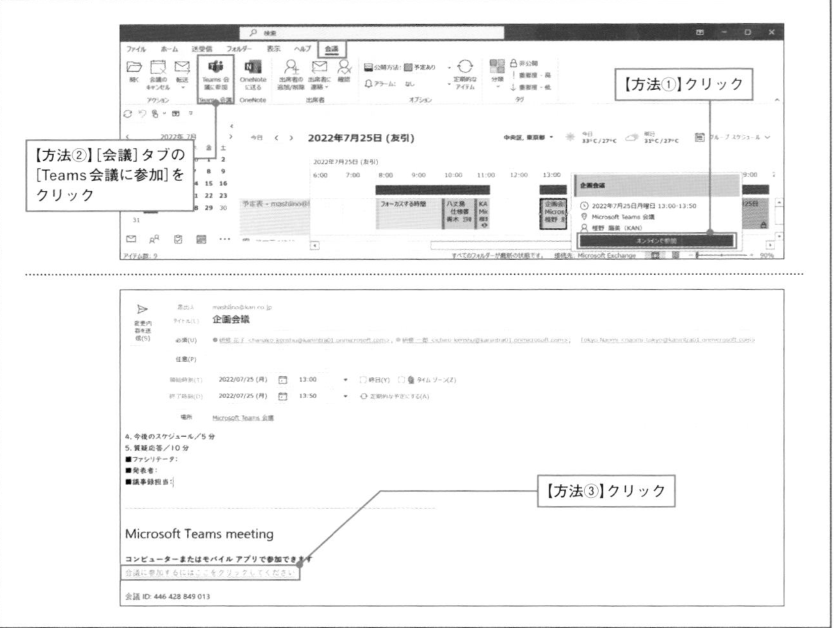


## 【Tips】音声のノイズを抑制したい！

オンライン会議では聴覚に意識が向くので、対面の会議では気づかない音が気になります。オンライン会議中に椅子の軋む音や、小鳥のさえずりのような小さな音に、気づいた経験がある方もいるのではないでしょうか？

Teamsでは、周囲の雑音（キーボードのタイプ音、電車や車の通過音、犬の鳴き声など）を除去する機能が提供されています。Teams画面の右上に表示されている、自分のアカウントアイコンの左側に表示される［…］をクリックすると表示されるメニューから、［設定］をクリックすると、設定画面に移動できます。

**図3-17　音声のノイズを抑制する**

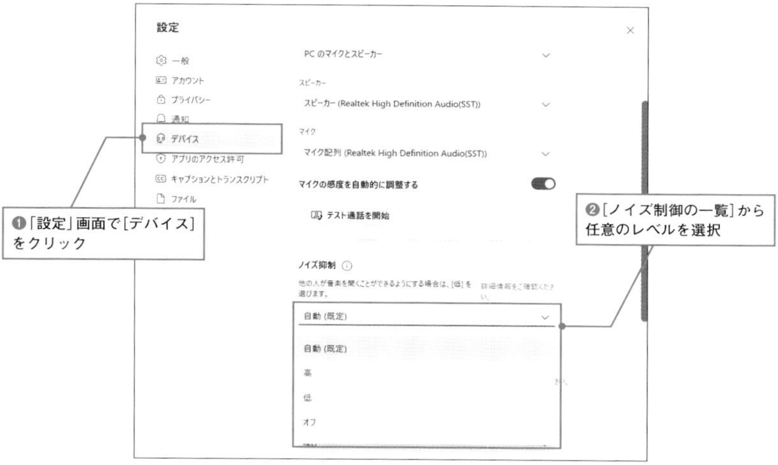


| | |
|---|---|
| 自動（既定） | ノイズ除去を必要に応じて自動調整する |
| 高 | 音声以外のノイズを除去する |
| 低 | エアコンなど低レベルのノイズを除去。音楽の再生に適している |
| オフ | ノイズを除去しない |

## Teams会議参加者のロビー待機を設定する

図3-5で解説した、「会議のオプション」の「ロビーを迂回するユーザー」には、会議参加時に、ロビー待機を回避させたいユーザーを指定します。迂回するユーザー以外が会議に参加すると、図3-18のような通知が会議参加者に表示されます。すぐに許可する場合は［参加許可］をクリックし、まだ待機してもらう場合は［ロビーを表示］をクリックします。

なお会議の開催者以外でも、会議の参加者であれば、参加を許可することができます。

**図3-18　会議参加者のロビー待機**

## 会議中にメンバーを追加する

必要に応じて、他の参加者を後から会議に招待することができます。過去に参加したことがあるメンバーの場合は「他の人を招待」に表示されるため、［参加をリクエスト］をクリックします。「他の人を招待」に表示されていない場合は、検索ボックスで検索します。参加をリクエストされたメンバーが呼び出しを［承諾］すると、会議に追加されます。

**図3-19　会議中にメンバーを追加する**

**相手の画面**

❶[参加者]をクリック
❷「他の人を招待」に該当メンバーがいる場合は[参加をリクエスト]をクリック
❸「他の人を招待」に該当メンバーがいない場合はメンバーを検索し、検索結果から[参加をリクエスト]をクリック
❹[承諾]をクリックすると、会議に追加される

## 会議から退出する・会議を終了する

会議画面の右上にある［退出］ボタンをクリックすると、会議から退出できます。参加者が全員退出したタイミングで会議は終了しますが、開催者が一括で会議を終了させることもできます。

**図3-20　会議を終了する**

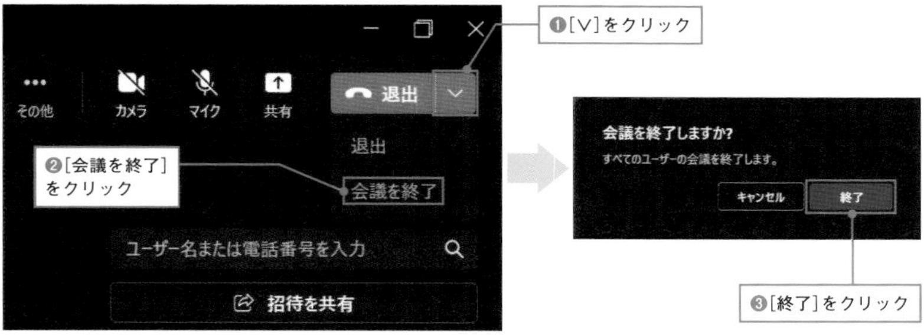

# 会議の「視覚情報」をカスタマイズする

## オンライン会議は顔を映してオーバーリアクション

オンライン会議でカメラをOFFにしている場合、「振る舞い」や「雰囲気」だけでなく、「顔の表情」も伝わりません。**お互いの「顔の表情」から情報を受け取れないので、情報が不足し、コミュニケーションがうまくいかない原因の１つになっている**のです。「ネットワークの帯域問題が理由で、カメラをOFFにしています」と言われる組織も多いのですが、オンライン会議の利点を活かし、コミュニケーションしやすい環境をつくるためには、ネットワーク環境を改善し、顔を出してコミュニケーションすることをおススメします。

ただし顔を出したとしても、「オンライン」は「対面」に比べて、状況判断がしづらくなるという点に注意が必要です。「物理的に同じ場所で、同じ時間を共有しながら、同じ資料を見る」という同時性が担保されている場合は、「この話に興味がありそう」「この部分が伝わっていないかも？」と相手の反応や温度感を確認しながら進めることができます。一方、オンラインの場合は、画面共有をしていても、相手が資料のどこを見ているか分からなかったり、資料を本当に見てくれているのかさえ判別できなかったりします。

そこで**オンライン会議の場合は、リアル集合型よりも「大きくうなずく」「ジェスチャーをつかう」など、オーバーリアクションで相手に反応を伝える**ようにしましょう。問題の原因が分かっているのですから、その原因を「技術」と「スキル」と「ルール」を使って解決すればよいのです。

### カメラやマイクのオン・オフを切り替える

カメラやマイクの設定は、会議に参加する前だけでなく、参加した後にも設定を変更できます。外付けのカメラやマイクを利用することも可能です。

**図3-21 カメラやマイクのオン・オフ**

## 【Tips】一時的にミュートを解除

マイクのオン・オフはアイコンから行うこともできますが、自分が発言するときだけ、一時的にミュートを解除したい場合、キー操作が便利です。Windowsでは［Ctrl］＋［Space］、macOSでは［Option］＋［Space］のショートカットキーを押している間はミュートが解除され、キーを離すとミュート状態に戻ります※7。

## 背景を設定する

自宅や外出先から会議に参加する際、背景が気になる場合は、背景をぼかすか、バーチャル背景を利用できます。設定した背景は、変更するまではすべての通話と会話に表示されます。背景も、会議参加前だけでなく、参加後に設定や変更が可能です。

なお、設定画面では背景が反転しているように見えますが、問題ありません。会議の参加者の画面には、正しい向きの背景が映ります。

※7：この機能は既定で有効に設定されている。無効にする場合は、Teamsの［設定］→［プライバシー］の順に選択し、［ミュート解除のキーボードショートカット］をオフにする。

## 図3-22 背景を設定する

### 会議参加前

❶会議参加時に表示されるビデオと音声（オーディオ）の設定画面で、ビデオをオンにする
❷［背景フィルター］をクリック
❸既定で用意されている背景を選択するか、［＋新規追加］で画像ファイルを追加してオリジナルの背景を選択
❹背景が設定された状態で、会議に参加することができる
※設定した背景は、変更するまではすべての通話と会話に表示される

### 会議参加後

❶［…］から［背景効果を適用する］をクリック
❷既定で用意されている背景を選択するか、［＋新規追加］で画像ファイルを追加してオリジナルの背景を選択
❸［プレビュー］をクリックすると、背景が適用された状態を確認できる
❹［適用してビデオをオンにする］をクリック

## 【Tips】顔を明るく、肌をきれいに映したい！

画面に映る自分の顔を明るくするために、通称「女優ライト」こと、LEDリングライトを使われている方も多いかもしれません。Teamsの「明るさ調整」と「ソフトフォーカス」を利用すると、LEDリングライトを使わなくても、顔色を明るく、肌をきれいに見せることができます。

**図3-23 「明るさの調整」と「ソフトフォーカスの設定」**

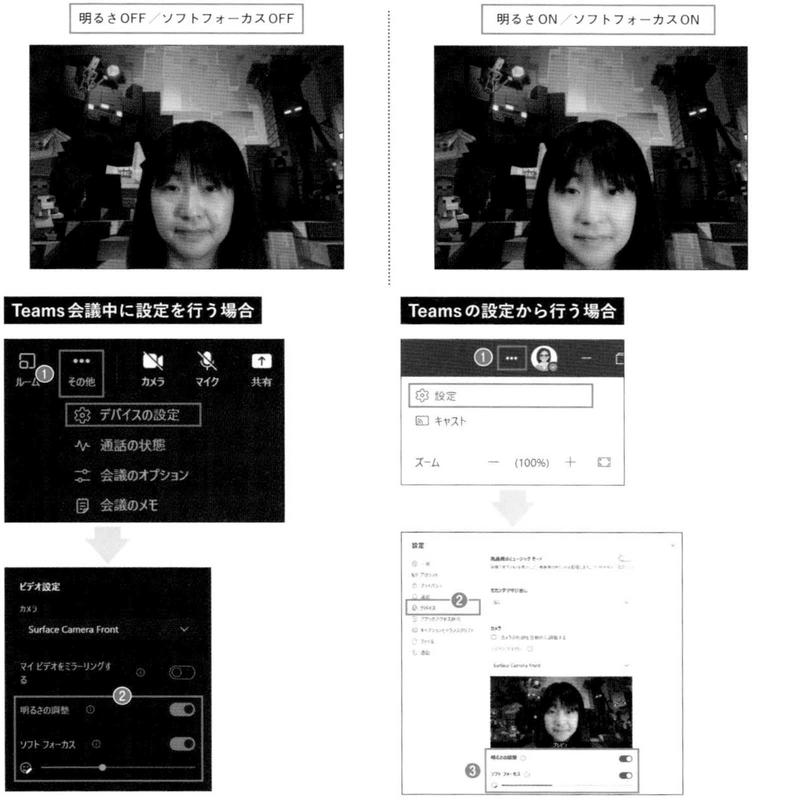


● Teams会議中に設定を行う場合
❶会議コントロールバーの[…]をクリックし、[デバイスの設定]をクリック　❷「明るさの調整」「ソフトフォーカス」のスライドバーをオンにする。「ソフトフォーカス」はスライドバーを利用して、フォーカスの度合いを調整する

● Teamsの設定から行う場合
❶アカウントアイコンの左側にある[…]をクリックし、[設定]をクリック　❷「設定」画面で、[デバイス]をクリック　❸「明るさの調整」「ソフトフォーカス」のスライドバーでオンにする。「ソフトフォーカス」はスライドバーを利用して、フォーカスの度合いを調整する

## 参加者をTogetherモードで表示する

Teams会議では、画面に表示される人数や見え方をビューの切り替えで変更できます。画面分割によって、「ギャラリー」ビューでは9名まで表示できます。「大きいギャラリー」ビューでは、1画面をさらに細かく分割し、多くの人を映すことができます。

「Togetherモード」を使うと、共通のバーチャル背景を使って、参加者同士が同じ場所に座っているかのように表示することができます。視覚的に一体感をもたせ、参加者を安心させる効果があるといわれています。

**図3-24　参加者をTogetherモードで表示する**

**Togetherモードとギャラリー表示**

- Togetherモードは、参加者が5名以上（開催者＋参加者4名）でビデオをオンにしている場合に使用できる
- 参加者の位置は固定されており、変更できない（2022年7月現在）※8
- Togetherモードを通常の表示に戻したい場合は、［ギャラリー］または［大きいギャラリー］を選択
- ［ギャラリー］は参加者が9名までの場合、［大きいギャラリー］は10名以上の場合に選択可

※8：2022年9月以降、Togetherモードに席のアサイン機能が実装予定と発表されている（2022年7月19日発表）。

## 表示されるメンバーをピン留めで固定する

画面分割が自動に行われるので、画面に表示されるメンバーは、参加者の画面によって異なります。パネルディスカッションのパネリストや会議の発表者といった、ある特定のメンバーを自分の画面で常に大きく表示させておきたい場合は、「自分用にピン留めする」機能を利用します※9。

また、物理的な会議室とオンライン参加が混在するハイブリッドな会議の場合、会議室の様子が分かるように、物理的な会議室を映しているカメラ画像を「ピン留め」しておきたいというケースもあるかもしれません。

なお設定した「ピン留め」は、自動的には解除されないので、必要がなくなったら手動で解除する必要があります。



**図3-25 メンバーをピン留めする・ピンを外す**

❶[参加者]からユーザーを選び、[…]の[自分用にピン留めする]をクリック。または、ピン留めしたいメンバーの上で右クリックし、[自分用にピン留めする]をクリック

❷ピン留めをしているメンバーには、ピンのアイコンが表示される

※ピン留めは画面に収まる限り、何人でも行うことが可能

❸解除する場合は、該当のメンバーの上で右クリックし、[固定表示を解除]をクリック。または、[参加者]からユーザーを選び、[…]の[固定表示を解除]をクリック

※9：ピン留めは、自分用にピン留めされるので、他の人の画面には影響しない。

## 全員の画面をスポットライトされたメンバーで固定する

Teams会議では、特定の発表者に「スポットライト」を設定できます。これが設定されると、設定された人のカメラ画像が大きく表示されます。

同じような機能として「自分用にピン留めする」がありますが、「スポットライト」が設定されると参加者全員の画面に反映される点が異なります。参加者がそれぞれ個別に設定することなく、全員が同じ画面を見ることができる点で便利です。

「スポットライト」も自動的には解除されないので、必要がなくなったら手動で解除する必要があります。

**図3-26　メンバーにスポットライトを設定する・設定を解除する**

❶[参加者]からユーザーを選び、[…]の[全員にスポットライトを設定]をクリック。または、スポットライトを設定したいメンバーの上で右クリックし、[全員にスポットライトを設定]をクリック

❷「全員にスポットライトを設定しますか？」ダイアログボックスで、[全員にスポットライトを設定]をクリック

❸スポットライトを設定しているメンバーには、スポットライトのアイコンが表示される

※スポットライトは画面に収まる限り、何人でも行うことが可能。手順①～②を繰り返すと、2人目のスポットライトを設定できる

❹解除する場合は、該当のメンバーの上で右クリックし、[スポットライトを終了する]をクリック。または、[参加者]からユーザーを選び、[…]の[スポットライトを終了する]をクリック

# 会議中の「チャット」と「手を挙げる」でリアクション

## 話し手を遮ることのないスムーズな反応

オンライン会議の場合、タイミングよく会話に入って質問することが難しいと感じることがあります。このような場合、**チャットを利用することで、話し手の言葉を遮ることなく、自分の意見や質問を書く**ことができます。

会議内のスレッドに投稿すれば、参加者同士が会話をしたり、意見交換をしたりも可能です。このスレッドのやりとり（投稿）は、参加者全員が見ることができます。

**図3-27 会議中にチャットに書き込む**

❶[チャット]をクリック
❷メッセージを入力
❸[送信]をクリック

### 会議中に特定の人と個別にチャットする

「会議中に一部の参加者と個別にチャットをしたい」「会議中に会議参加者以外とチャットをしたい」場合、会議画面ではなく、Teamsの画面でチャットを行うことになります。アプリバーの［チャット］をクリックして、チャットを開始します。

## 【Tips】チャットをポップアップウィンドウ(別ウィンドウ)で表示する

会議全体の画面と個別チャットの画面を並べて表示することで、画面の切り替え作業がなくなるので、業務効率をあげることができます。チャットを別ウィンドウ表示するには、図3-28の２つの方法があります。

**図3-28　別ウィンドウ表示で効率アップ!**

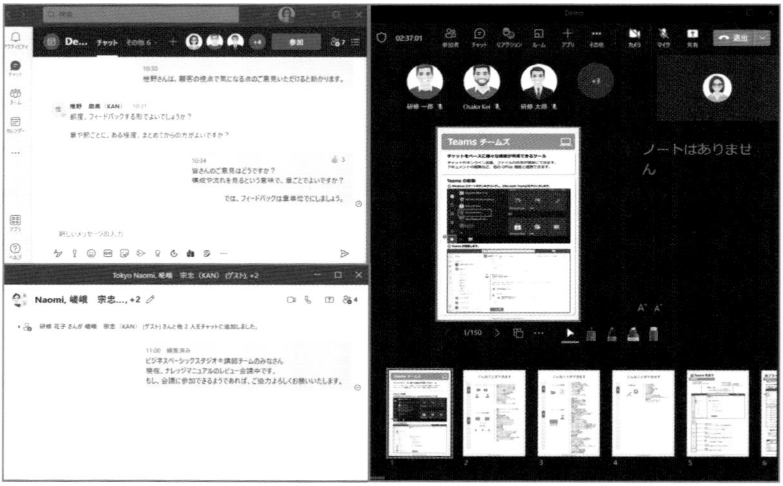

**方法1**

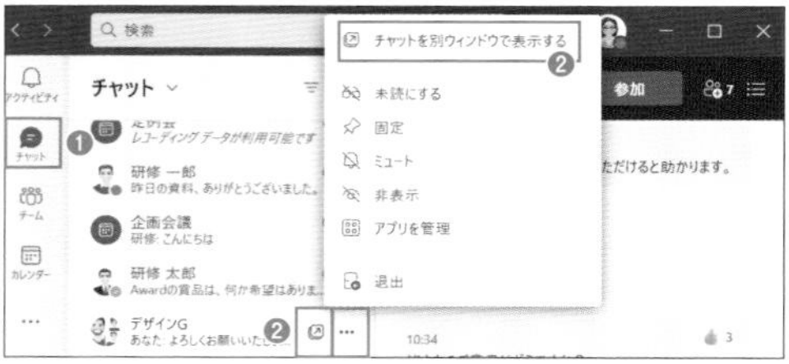


❶Teamsのアプリバーの[チャット]をクリック
❷別ウィンドウで表示したいチャットの[チャットを別ウィンドウで表示する]アイコンをクリックするか、[…]から[チャットを別ウィンドウで表示する]をクリック

**方法2**

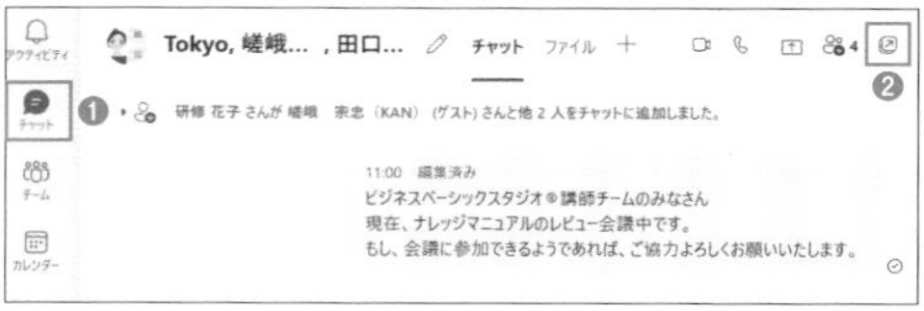


❶Teamsのアプリバーの[チャット]をクリック
❷別ウィンドウで表示したいチャットを表示し、チャット画面右上に表示される[チャットを別ウィンドウで表示する]アイコンをクリック

### 会議中に手を挙げる

チャットの代わりに手挙げ機能を使って、発言したいことを伝えることもできます。賛成などの意見を募りたいときにも便利です。なお、[…] から他のメンバーの手を下ろすこともできます。

また、会議の「開催者」と「発表者」であれば、「すべての手を下げる」機能を利用して、一度に全員の手を下げることも可能です。

**図3-29　会議中に手を挙げる**

**図3-30　全員の手を下げる**

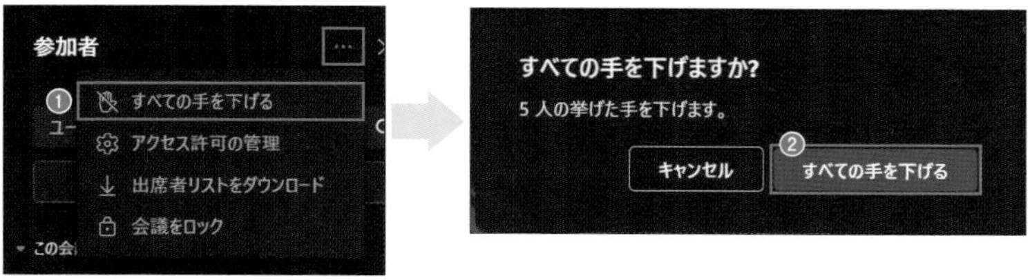


❶「参加者」一覧の画面右上に表示される[…]をクリックし、[すべての手を下げる]をクリック
❷「すべての手を下げますか？」ダイアログボックスで[すべての手を下げる]をクリック

## 【Tips】手挙げ機能で参加者全員が発言したことを「見える化」

会議で全員に発言してもらいたい場合、人数が多いと、誰が発言して、誰が発言していないかを判断することが難しい場合があります。

このような場合、最初に参加者全員に手挙げ機能の手を挙げた状態にしてもらいます。発言が終わったら、手を下げる運用ルールにすることで、全体の発言状況を「見える化」することができます。

最初の1名を指名し、発言が終わったら次の人を指名するといったやり方を併用することで、全員の意見を速やかに、場に共有することが可能です。

## ライブリアクションで発表者に気持ちを伝える

オンライン会議の場合、カメラをONにして「大きくうなずく」「ジェスチャーを使う」など、オーバーリアクションで相手に伝えることが重要です(p.102参照)。しかし、「参加者が多く、各々のビデオ画像が小さい」「カメラをONにして参加できない」といった状況の場合、オーバーリアクションで伝えることが難しくなります。そのような場合、「ライブリアクション」の機能を使って、気持ちを伝えることができます。

**図3-31　ライブリアクションを使う**

❶会議コントロールバーの[リアクション]をクリックし、「いいね！」「愛」「喝采」「笑い」「びっくり」のいずれかをクリック

❷自分のライブビデオ画像（またはユーザープロフィール画像）にリアクションが1秒ほど表示されるので、会議参加者にリアクションを伝えることができる

# 「画面の共有」を使いこなして伝わる会議を実現

## 画面共有のメリットとその方法

オンライン会議になれていないと、資料があるにも関わらず、それを共有せずに話をしてしまいがちです。聴覚だけで情報を判断しようとすると、判断に時間がかかったり、誤解が生じたりします。資料や操作を説明する際、相手が情報を理解しやすくなるので、画面を共有しながら説明しましょう。

Teams会議での画面共有には、次のような種類があります。

**表3-3　画面共有の種類の違い**

| | 画面 | ウィンドウ | PowerPoint Live | Microsoft Whiteboard | カメラからのコンテンツ |
|---|---|---|---|---|---|
| 共有範囲 | 自分のPCのデスクトップ画面全体 | 選択した特定のウィンドウ | 選択した特定のパワーポイント | Microsoft Whiteboard | カメラで撮影する対象<br>・ホワイトボード<br>・ドキュメント<br>・ビデオ |
| メリット | 複数のファイルや画面の表示を切替えて共有しやすい | 共有相手には選択したウィンドウ以外は見えない | PowerPointのノート部分を表示できる<br>開いていないPowerPointファイルを指定できる | 会議メンバーとホワイトボードで共同作業ができる | デバイスのカメラや外部カメラで撮影する対象物を最適化して表示できる |
| 注意点 | 機密情報や他の顧客情報など、予期せぬ画面を表示してしまうことがある | 他の画面を共有したい場合、一度共有を切って、やり直す必要がある | Web上で使用できないフォントは一般的なものに変換される<br>編集はできない<br>カーソルが見えない | (特に社外との利用時)相手が使用可能か確認が必要<br>操作に慣れが必要 | 予期せぬ物を表示してしまう恐れがある |

### 会議の参加者の役割を変更する

Teams会議の「開催者」を除く参加者は、「発表者」と「出席者」のいずれかの役割になります。画面の共有を行うことができるのは「開催者」と「発表者」だけという点に注意してください。会議の開催者は会議中に参加者の役割を「発表者」と「出席者」に変更できます。

**図3-32　会議の参加者の役割を変更する**

## 画面を共有する

画面の共有は「コンテンツを共有」から行います。画面やウィンドウなど、選択した対象によって相手側の画面に表示される内容が異なります。

**図3-33　画面（コンテンツ）を共有する**

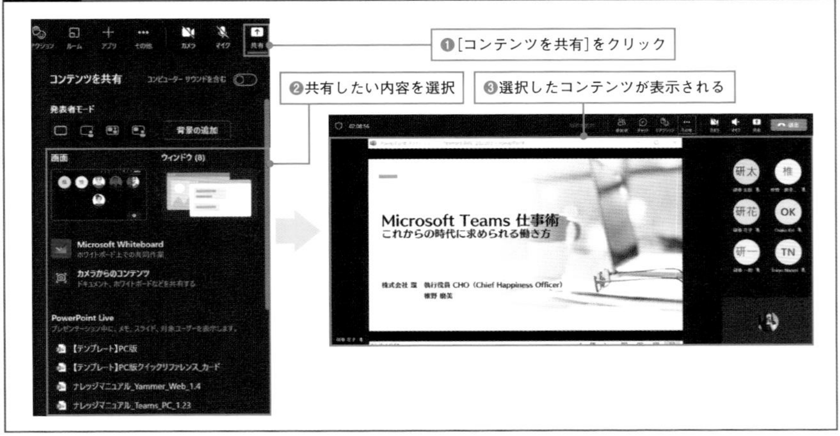

## 【Tips】PowerPointのプレゼンテーションモードを利用する

ウィンドウ共有でPowerPointを選択すると全画面表示され、参加者の顔やチャットが見えなくて困ったことはありませんか？　これは、PowerPointの既定の設定がフルスクリーン表示になっているからです。共有するPowerPointのモードを変更しておくことで、この問題を回避できます。

**図3-34　PowerPointのプレゼンテーションモードの利用**

## ホワイトボードを利用する

物理的な会議室でホワイトボードを活用したように、Teams会議でも会議中にホワイトボードを共有し、参会者同士で書き込むことができます。

ホワイトボードは、「コンテンツを共有」の画面から［Microsoft Whiteboard］を選択して使用します（図3-33参照）。

**図3-35　ホワイトボードを利用する**

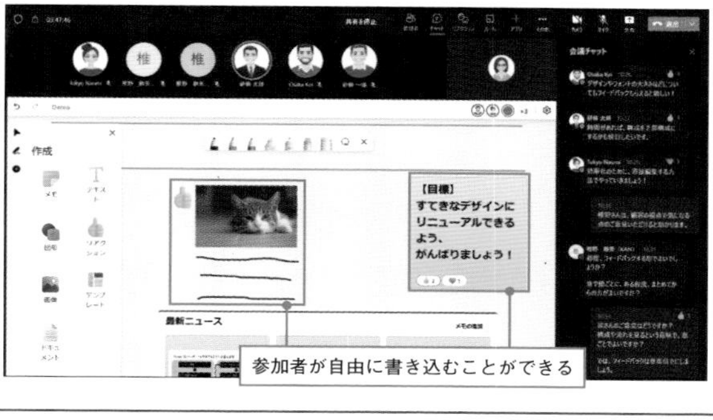

## 共有画面を相手に操作してもらう・制御を要求する

Teamsでは、自分の画面の制御権を渡して、相手に操作してもらうことができます。分担してプレゼンテーションするとき、相手の番になったら制御を渡して、相手のペースでスライド送りをしてもらうような場合に便利です。

**図3-36 共有した画面を相手に操作してもらう**

❶共有ツールバーから[制御を渡す]をクリックして相手を選択
❷制御が渡ると画面の中に相手のマウスポインターが表示される
❸[コントロールをキャンセル]で相手の制御を終了
❹受け取った側からは[制御を停止]で制御を返すことができる

他の人が画面を共有しているときに、制御を要求することもできます。

**図3-37 共有された画面の制御を要求する**

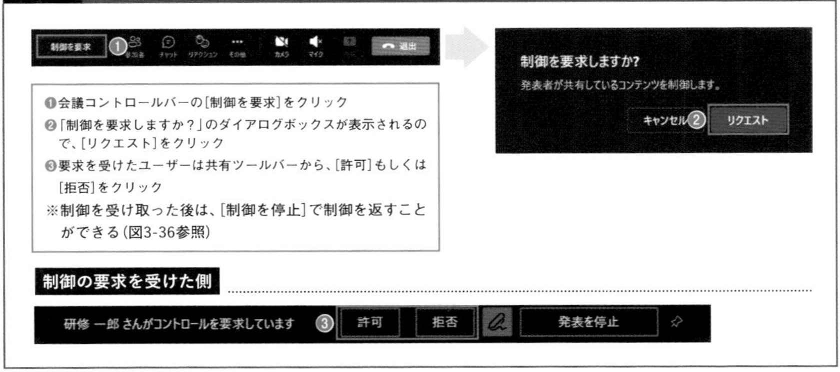


❶会議コントロールバーの[制御を要求]をクリック
❷「制御を要求しますか?」のダイアログボックスが表示されるので、[リクエスト]をクリック
❸要求を受けたユーザーは共有ツールバーから、[許可]もしくは[拒否]をクリック
※制御を受け取った後は、[制御を停止]で制御を返すことができる(図3-36参照)

## 【Tips】共有された画面を拡大して読みやすくする

画面共有された資料の文字が小さくて読みづらい場合、疲れやすく、集中力も続かなくなります。画面共有されたコンテンツを読みやすくするための方法を、2つ紹介します。

**【方法1】画面を拡大する**

［Ctrl］キーを押しながら、マウスホイールを上方向に回すと表示内容を拡大できます（下方向に回すと縮小します）。

**【方法2】コンテンツだけを表示する**

会議コントロールバーの［…］をクリックし、［コンテンツにフォーカスを移動］をクリックすると、他の参加者が表示されているギャラリーを非表示にして、コンテンツだけを最大表示にすることができます（自分の画面は非表示にはなりません）。



## 発表者の共有画面に注釈を追加する

オンライン会議に参加しているとき、共有された画面上に書き込みたいことはありませんか？　例えば、デザインや設計のフィードバックをしたい、紙の資料にマーカーを使うような感覚で、共有された画面上に囲みや矢印を書きたいといった場合です。

Teams会議の「注釈（コラボレーションアノテーション）」機能を使うと、発表者が共有している画面上に、発表者と他の参加者の双方で書き込めたり、ポインターを使って画面上をナビゲーションできたりします[※10]。

発表者が［注釈］を開始すると、他の会議参加者の画面上には、「○○が注釈を開始しました」とメッセージが表示されます。そして、発表者の役割を持つすべての会議出席者の共有画面上部に、Microsoft Whiteboardツールセットが表示され、リアルタイムですぐに注釈を追加できるようになります[※11]。

※10：2022年7月現在、個別の「ウィンドウ」共有ではなく、フルスクリーンの「画面」共有のみ利用可能。Webユーザーとモバイルユーザーは利用できない。

※11：2022年7月現在、画面に書き込んだ情報はエクスポートすることができない。注釈した情報を保存しておきたい場合は、スクリーンショットなどで保存する必要がある。

**図3-38　発表者の共有画面に注釈を追加する**

❶[画面]を共有した後、会議画面の上部にマウスカーソルを位置づけると、画面共有ツールバーが表示される。ツールバーの[注釈]アイコンをクリックすると、「注釈」が開始される

❷「注釈」が有効になると、共有画面の周りが青い線で囲まれる(画面共有の赤枠は、共同注釈モードが有効の間は青枠になる)

❸Microsoft Whiteboardツールセットが表示されるので、ツールセットを使って書き込んだり、付箋紙を利用したり、ポインターを利用したりできる。参加者のカーソルの動きや、書き込んだ注釈を、リアルタイムで確認できる

※「注釈」を止めるには、①の[注釈]アイコンを再度クリック

## 発表者モードで臨場感を高める

オンライン会議の場合、物理的に離れた場所にいるので、臨場感が大切になります。「発表者モード」を使うと、リアルな場所でのプレゼンテーションのように、PowerPointの前や横に発表者が表示されるので、臨場感を高めることができます。[発表者モード]は画面共有時と、画面共有後（発表中）に設定を変更することができます（発表者モード使用時の背景については、画面共有時のみ設定変更可能）※12。

※12：2022年7月現在、PowerPoint Liveで「発表者モード」を使う場合、画面共有時のみ設定可能。また、モードは「スタンドアウト」のみ利用可能。

**図3-39 発表者モードを設定する**

**画面共有時に設定する場合**

**発表者モードでの画面共有の様子**

**画面共有後（発表時）に設定する場合**

●画面共有時に設定する場合
➊画面共有の際、「発表者モード」から「スタンドアウト」「左右に並べて表示」「報告者」のいずれかを選択する
➋背景の変更をしたい場合は［背景の追加］をクリック。好きな背景を選択後、「背景の追加」の［<］をクリックし、コンテンツ共有画面に戻る

●画面共有後（発表時）に設定する場合
➊画面を共有した後、会議画面の上部にマウスカーソルを位置づけると、画面共有ツールバーが表示される。ツールバーの「発表者モード」アイコンから「スタンドアウト」「左右に並べて表示」「報告者」のいずれかを選択する

## 「PowerPoint Live」での共有を使い分ける

Teams会議でPowerPointを使ってプレゼンテーションをする場合、すでに紹介した「ウィンドウ」でPowerPointの画面を共有する方法（図3-33参照）とは別に、「PowerPoint Live」を使う方法もあります。状況に合わせて使い分けるとよいでしょう。

PowerPoint Liveで画面共有を行った場合、「Web上で使用できないフォントは一般的なものに変換される」「カーソルは表示されない」などの制約はありますが、「PowerPointのノートを表示できる」「スライドの流れを確認しながら発表ができる」などのメリットがあります（表3-3参照）。

また、PowerPoint Liveで共有する際、「プライベートビュー」が有効であれば（既定）、発表者が今から説明するスライドを先に確認したり、説明済みのスライドに戻って再確認したりすることができます。

**図3-40　PowerPoint Liveでの画面共有**

画面共有を閲覧しているユーザーの画面
どこにいても、一緒に働ける『働き方』の時代へ
Microsoft Teams 仕事術
これからの時代に求められる働き方
みなさま、こんにちは。
このセミナーでは、Microsoft Teams
仕事術　これからの時代に求められる
働き方と題して、
Microsoft Teamsを使って、チームで
心地よくシゴトを進めるためのポイン
トについて、ご紹介します。
「プライベートビュー」が有効になっている場合は、PowerPointの下に、移動のためのボタン[<][>]や、発表者が表示しているスライドと同期をとるためのボタンが表示される
画面共有しているユーザーの画面

## 【Tips】PowerPoint Liveの翻訳機能

発表者が異なる言語を話す場合、音声は同時通訳が入っても、資料は翻訳されていない場合があります。その際、PowerPoint Liveを使った画面共有であれば、参加者側の必要に応じて、発表スライドを翻訳することができます。

**図3-41　PowerPoint Liveでスライドを翻訳する**

Business scenario
Imagine an organization where every three years employees go through a hardware refresh cycle
We will streamline the device order, procurement and approval process and view aggregate reports
The employee-facing device ordering app needs to run in a web browser and on mobile devices
ビジネスシナリオ
従業員が 3 年ごとにハードウェアの更新サイクルを経る組織を想像してみてください。
デバイスの注文、調達、承認プロセスを合理化し、集計レポートを表示します
従業員向けのデバイス注文アプリは、Web ブラウザーとモバイル デバイスで実行する必要があります。

# 次のアクションにつなげる「会議の記録」



## 会議で記録に残しておくべきこと

あなたの組織は、議事録の方法や議事録で使うアプリケーションが決まっていますか？　多様なアプリケーションがありますから、同じ部門に所属している方々でも全員が同じものを利用しているとは限りません。

最近はTeams会議で簡単に録画ができるので、会議によっては、議事録は省略するというケースもあります。また会議ごとに共同編集可能な、「会議のメモ」も用意されています。効率よく議事録を作成できるので、OneNoteと連携（詳細は第6章）して議事録をとるケースも増えてきました。

ただしどのような形であれ、以下を明確に記録しておく必要があります。

**①決まったこと・決まらなかったこと**
**②次にやること（Next Action）**

また、会議の終了と同時に記録を共有できるようにしましょう。Teamsの「会議のメモ」やOneNoteを利用することで、議事録のファイルを送信する手間を省くことができます。**よい会議とは、会議が終わったその瞬間から、関係者が次の行動ができる状態になっている会議**です。

### 会議を録画する

欠席した会議であっても録画した映像があれば、議事録だけでは分かりづらい「会議の詳細」や「モノゴトが決まるまでの経緯」を把握できます。発言者の表情や声色、共有された画面なども再現できるでしょう。録画を併用することで、議事録は必要最小限にするという方法をとることも可能です。

**図3-42　会議を録画する・録画を停止する**

**録画の開始**

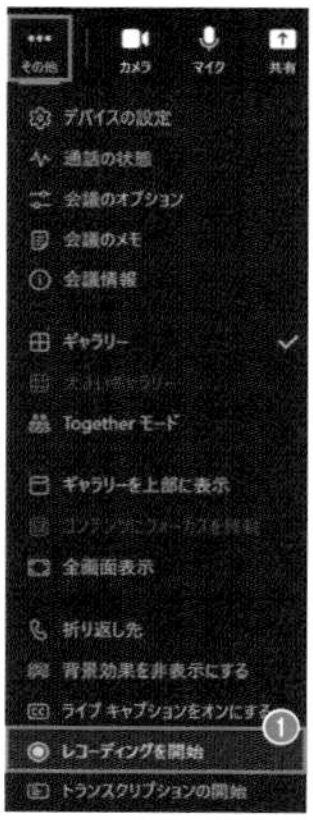

**録画されている側の画面**

❶[…]をクリックし、[レコーディングを開始]をクリック
❷メッセージが会議の参加者に表示され、録画が開始される

**録画の停止**

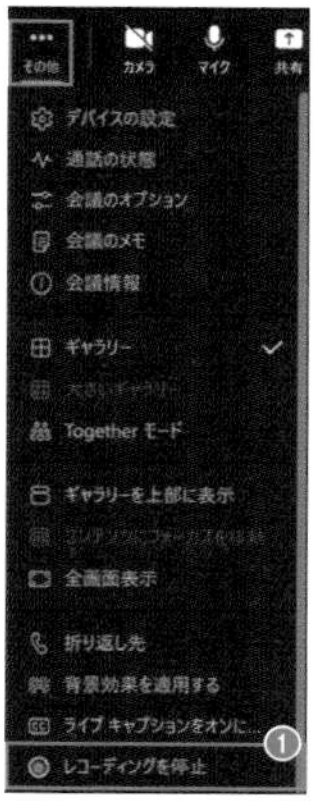


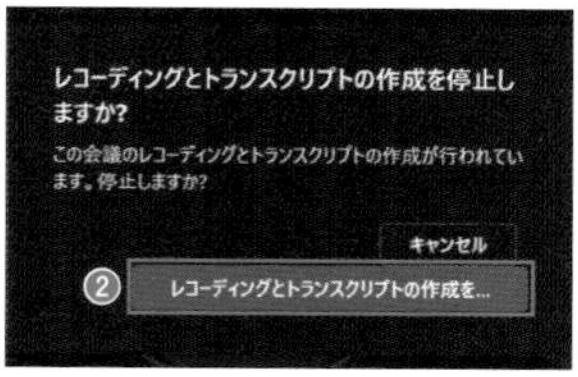

❶[…]をクリックし、[レコーディングを停止]をクリック
❷確認メッセージが表示されるので、[レコーディングとトランスクリプトの作成を停止]をクリック
❸メッセージが表示され、録画が保存される
❹会議終了後、参加した会議グループ内で録画データをストリーミング再生できる

## 録画された会議を再生する

記録された情報は、会議終了後に「チャネルの投稿」(「チャネル会議」の場合)や、「会議の詳細情報」(「予定された新しい会議」の場合)に掲載されるので、保存期間内であれば、後から再生して確認することができます。

図3-43 録画された会議を再生する

## 会議の録画データの有効期限を管理する

Teams会議の録画データは、Microsoft 365のサービスであるOneDriveかSharePoint Onlineに保存されます。「予定された新しい会議」「今すぐ会議」の録画データは、開催者のOneDriveの「レコーディング」フォルダに、「チャネル会議」の録画データはSharePoint Onlineに保存されます。

録画データの保存期間は、既定で120日間に設定されているので、120日間経過すると録画データは削除されます。既定の期間を変更したい場合は、録画データの保存期間を変更する必要があります※13。

※13：Teamsの管理センターで会議ポリシーを変更することで、既定の有効期限を変更することも可能。

## 図3-44　会議の録画データの有効期限

### 「チャネル会議」で録画をした場合

### 「予定された新しい会議」で録画をした場合

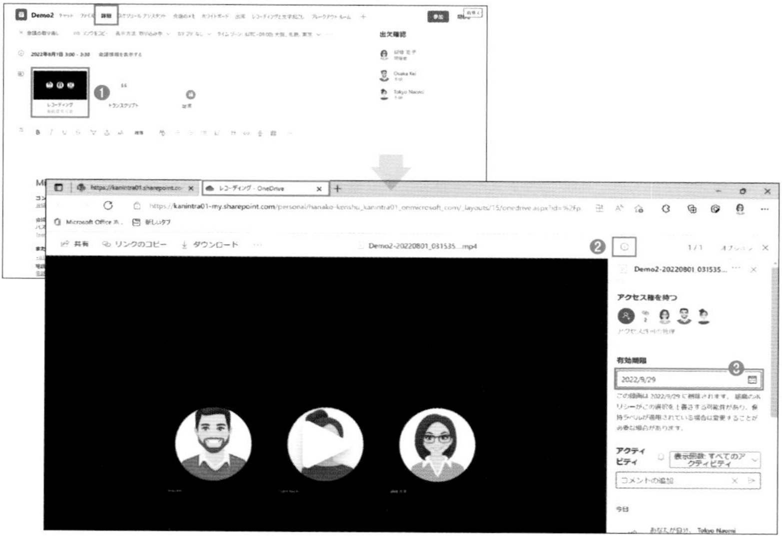


●「チャネル会議」で録画をした場合

❶投稿された会議の録画情報に記載されている「このレコーディングの有効期限が切れます。ここで有効期限を表示または変更します」の「ここで」をクリック。または、会議情報の[…]をクリックし、[開く]をクリック
❷SharePoint Onlineが起動する。上部に表示される[詳細ウィンドウを開く]をクリック
❸表示された詳細ウィンドウの「有効期限」のカレンダーで有効期限を変更する

●「予定された新しい会議」で録画をした場合

❶会議[詳細]タブに掲載されている、レコーディング情報をクリック
❷OneDriveが起動する。上部に表示される[詳細ウィンドウを開く]をクリック
❸表示された詳細ウィンドウの「有効期限」のカレンダーで有効期限を変更する

## トランスクリプションで自動的に文字起こしする

**トランスクリプション**は、音声を自動的に文字起こしして、記録する機能です。トランスクリプションを表示しておけば、リアルタイムで確認できるので、音声が出せない状況で参加している方や、耳の不自由な方などにもありがたい機能です。表示／非表示は参加者ごとに選択できるので、不要時は非表示にすることができます。

現在、Teams会議中に［レコーディングを開始］を選択すると、同時にトランスクリプションも実行されるようになっていますが、［トランスクリプションの開始］の方を選択すれば、レコーディングは行わずにトランスクリプションだけを実行することもできます※14。反対に、レコーディングだけを実施したい場合は、実行後に［トランスクリプションの停止］をクリックします。

**図3-45　トランスクリプションの開始・停止**

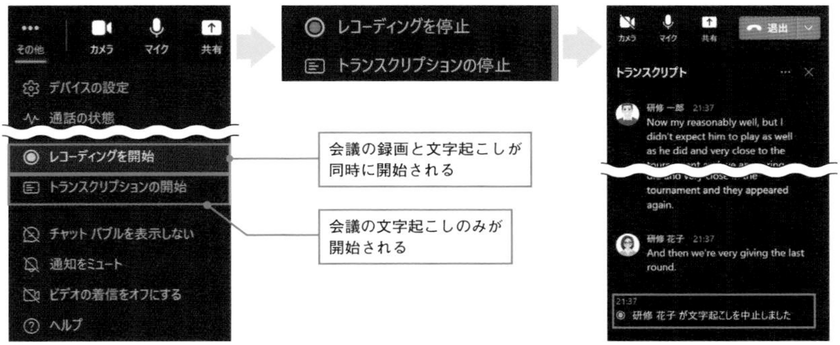


## 【Tips】事前設定で会議の録画し忘れを防止する！

会議が始まってから、手動で［レコーディングを開始］を実行する運用の場合、クリックをし忘れて、会議の途中から録画を開始するといったミスにつながることもあります。

そこで、事前に「会議のオプション」の「自動的にレコード」を「はい」にすることで、会議開始時に自動的にレコーディングを開始させることもできます（図3-5参照）。なお、この場合はレコーディングのみが自動起動され、トランスクリプションは自動的には実行されません。

※14：2022年7月現在、レコーディングとトランスクリプションが同時に実行されている状態で［レコーディングを停止］をクリックした場合は、両方が中止されてしまう。そのため、レコーディングだけを停止したい場合は、いったん両方を停止してから、改めて［トランスクリプションの開始］をクリックする必要がある。

## トランスクリプションで使用する言語を変更する

トランスクリプションの既定の言語は英語なので、日本語で使用したい場合は言語を変更する必要があります。

**図3-46 トランスクリプションで使用する言語を変更する**

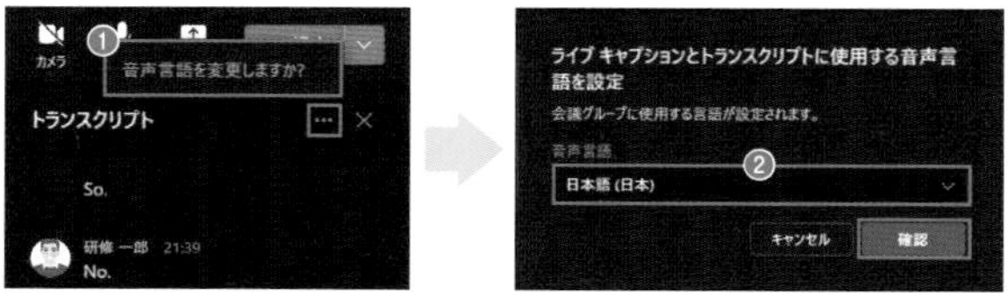


❶トランスクリプトの画面右上に表示される[…]をクリックし、[音声言語を変更しますか？]をクリック
❷「音声言語」を選択するダイアログボックスが表示されるので、言語を選択して[確認]をクリック

## トランスクリプトをダウンロードする

トランスクリプトは、会議中に会議画面で読んだり、会議後にTeams画面で確認したりするだけでなく、ファイルとしてダウンロードできます。

後から発言者や発言内容を確認したい場合、ファイルの検索機能を使うことができるので、録画を再生するよりもテキストで確認する方が早いこともあります。

**図3-47 トランスクリプトをダウンロードする**

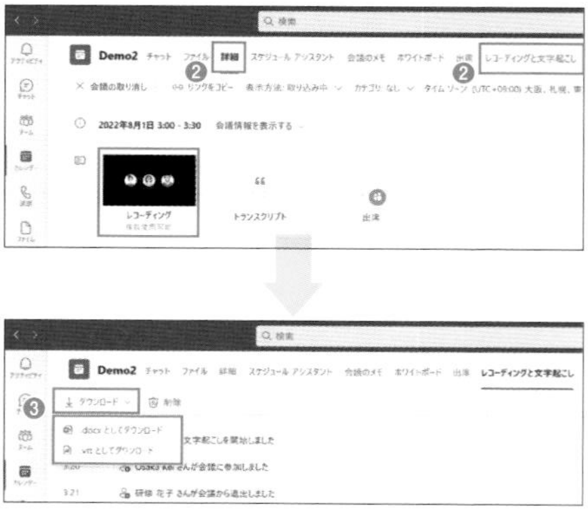


❶[カレンダー]から、該当する会議をクリックし、[編集]をクリック
❷会議の[詳細]タブに掲載されている、レコーディング情報をクリック。または、[レコーディングと文字起こし]タブをクリック
❸[ダウンロード]をクリックし、[(ファイル形式)としてダウンロード]をクリック

## ライブキャプションで字幕を表示する

**ライブキャプション**は、発表者の音声をリアルタイムで字幕表示する機能です。ライブキャプションを利用すれば、会議の発言内容を、音声だけでなく文字でも補完することができます。

**図3-48　ライブキャプションを利用する**

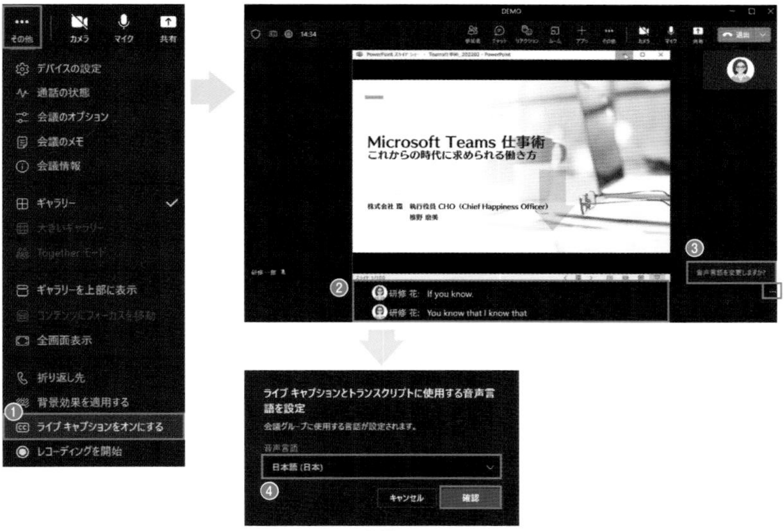

❶[…]の[ライブキャプションをオンにする]をクリック
❷画面下部に字幕が表示される
※字幕の表示を停止したい場合は、①と同じ箇所にある[ライブキャプションをオフにする]をクリック
❸使用する音声言語を変更したい場合、字幕部分をクリックすると右側に表示される[…]をクリックし、[音声言語を変更しますか？]をクリック
❹言語を選択して[確認]をクリック
❺選択した音声言語に切り替わる

## 会議中のメモを作成する

Teams会議では、会議ごとに「会議のメモ」が用意されているので、これを利用して会議画面内でメモを取ることができます。作成したメモは、会議に参加したメンバーに共有が可能なので、議事録として利用することができます。

メモ作成前に会議に招待されたメンバーのみが使用でき、ほかのユーザーはアクセス権を要求できます。

**図3-49 会議のメモを利用する**

**デスクトップアプリ**

**Webアプリ**

❶［…］をクリックし、［会議のメモ］をクリック
※Webアプリの場合は、［会議のメモを表示する］をクリック
❷「会議のメモを取りましょう！」の画面が表示されるので、［メモを取る］をクリック
❸［会議のメモ］タブページが表示される
※Webアプリの場合は、画面右側に「会議のメモ」領域が表示される

## 【Tips】会議のメモを構造化する

「会議のメモ」は、会議参加者で1つのメモを共有しています。1つのセクションにすべてを記載するのではなく、会議の項目ごとにセクションを分けておけば、後からセクションの並べ替えも可能です。セクションを利用して、情報が分かりやすい構造になるようにしましょう。

**図3-50　会議のメモのセクションを追加・移動・並べ替え**

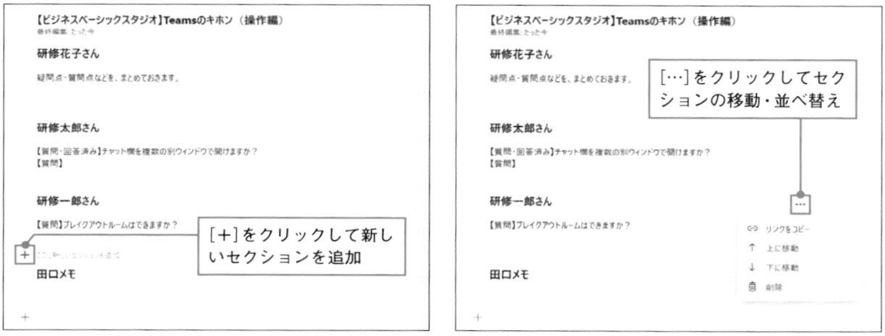


## 会議後にメモを確認する

会議のメモを作成すると、[会議のメモ] タブが作成されるので、会議終了後は、このタブから会議のメモを確認することができます。

**図3-51　会議後にメモを確認する**

## 【Tips】チャネル会議の［会議のメモ］の履歴を確認する

チャネル会議の場合、［会議のメモ］タブをクリックすると、最後にアクセスした［会議のメモ］が表示されます。チャネル会議で、会議ごとに作成した会議のメモは、［会議のメモ］タブを展開することで確認できます。

図3-52　会議後にメモを確認する

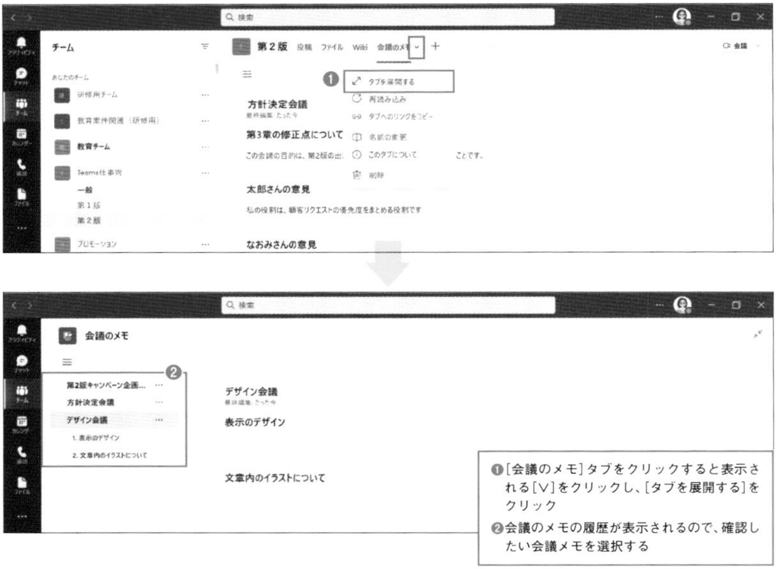
❶［会議のメモ］タブをクリックすると表示される［∨］をクリックし、［タブを展開する］をクリック
❷会議のメモの履歴が表示されるので、確認したい会議メモを選択する

### ●会議のメモ

- 最大100名の会議で使用可能
- 会議の開催者と同じ組織内のユーザーのみがメモを開始したり、会議後に確認したりできる
- メモ作成前に会議に招待されたメンバーのみが使用でき、ほかのユーザーはアクセス権を要求できる
- ゲストメンバーは使用できない

# ブレークアウトルームでグループディスカッションを実現

**ブレークアウトルーム**とは、会議の参加者を小さいグループに分けて、グループディスカッションできるように、別々のルーム（セッション）に分割する機能です。

会議の開催者、または、ブレークアウトルームマネージャーとして指名された発表者は、ブレークアウトルームを作成することができます。開催者は、ブレークアウトルームマネージャーを複数名指定できますが、会議中にブレークアウトルームを管理できるのは、一度に1人だけになります。

なお、ブレークアウトルームを作成できるタイミングは、「会議中」か「会議が始まる前（事前設定）」のどちらかです。

**●開催者ができること**

- ブレークアウトルームマネージャを指定する
- 最大50室のブレークアウトルームを作成する
- ルームに参加者を割り当てる
- ルームセッションの時間制限を設定する
- 任意のルームに参加する
- 各ルームのチャットにアナウンスを送信する
- ルームを閉じる、開く
- ルームを再作成する

**●ブレークアウトルームマネージャーができること（開催者による設定が必要）**

- 最大50室のブレークアウトルームを作成する
- ルームに参加者を割り当てる
- ルームセッションの時間制限を設定する
- 任意のルームに参加する
- 各ルームのチャットにアナウンスを送信する
- ルームを閉じる、開く
- ルームを再作成する

**●参加者ができること**

- 会議に必要な機能（プレゼン、ホワイトボードの共有など）を利用する
- メインルームとブレークアウトルームを行き来する（開催者による設定が必要）
- デスクトップアプリ、Web、モバイルから参加できる（複数のデバイスから同時にログインした場合は同じルームに参加する）

**図3-53　会議中にブレークアウトルームを作成する**

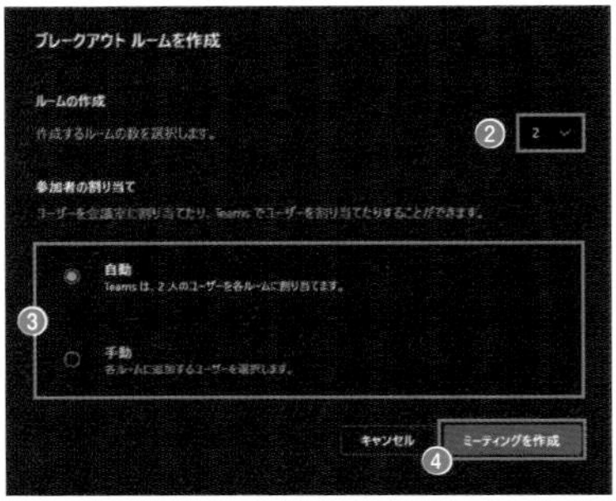

❶会議開始後、画面右上の［ブレークアウトルーム］アイコンをクリック
❷会議室の数を選択（最大50ルーム）
❸参加者の割り当て方法を選択。手動を選んだ場合は、開催者、またはブレークアウトルームマネージャーが参加者を各ルームに割り当てる
❹［ミーティングを作成］をクリック
❺［開く］をクリックして、ブレークアウトルームを開始する。特定のルームだけを開きたい場合は、開きたいルームの［…］から、［会議室を開く］をクリック
❻開催者、またはブレークアウトルームマネージャーが特定のルームに入る場合は、ルームの［…］から［ミーティングに参加］をクリック
❼ブレークアウトルーム全体を終了する場合は、［閉じる］をクリック。特定のルームだけを閉じる場合は、閉じたいルームの［…］から、［会議室を閉じる］をクリック

## 参加者の割り当てを変更する

参加者の割り当ては、ブレークアウトルームの開始前・開催中にも変更できます。参加者が遅れて会議に参加した場合など、まだ割り当てられていない参加者がいる場合は、参加者の割り当てを変更するボタンがわかりやすく表示されます。

図3-54 参加者の割り当てを変更する

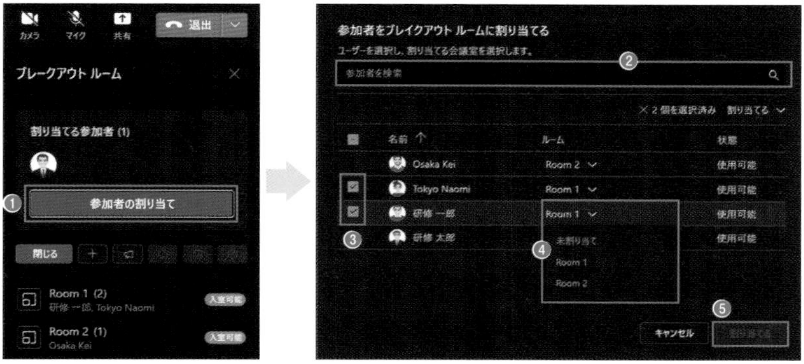


❶[参加者の割り当て]をクリック
❷検索ボックスを使って、割り当てるユーザーを検索するか、参加者リストから割り当てるユーザーを探す
❸複数名を同時に変更する場合は、該当ユーザーにチェックをつける
❹(再割り当てしたい)ルーム名をクリック　※「未割り当て」を選択し、割り当てを解除することも可能
❺[割り当てる]をクリック

## ブレークアウトルームの機能を使う

ブレークアウトルームには、その他にもさまざまな機能があります。例えば、「アナウンス」を送信する機能を使えば、各ブレークアウトルームの会議チャットに、ディスカッションの残り時間を知らせたりすることができます。

**図3-55　ブレークアウトルームの機能を使う**

**ブレークアウトルーム開始前**

**ブレークアウトルーム開催中**

ルームを追加する。ブレークアウトルーム開催中もルームを追加できるので、必要に応じてルームを増やし、[参加者の割り当て]から参加者を割り当てる

アナウンスを送信する

会議室を削除し、再作成する。ルームを再作成し、割り当てをし直したい場合に利用する

会議室を削除する

会議室の設定をする

**アナウンスの例**

会議室の設定では、次のような設定を行うことができます。

**図3-56　会議室の設定**

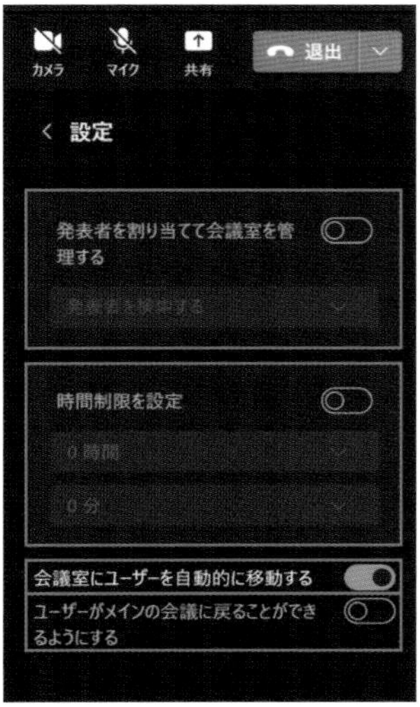


- **「発表者を割り当てて会議室を管理する」**
  ブレークアウトルームマネージャーを指定する。発表者に設定されているユーザーをグループマネージャーとして指定すると、ブレークアウトルームの管理を委任できる状態になる。複数名設定できるが、会議のブレークアウトルームを管理できるのは、一度に1人のみ
- **「時間制限を設定」**
  セッションを終了するタイミングが参加者にわかるように、会議画面の左上にカウントダウンのタイマーが表示される。時間切れになるとルームは閉じられ、参加者はメインルームに戻る
- **「会議室にユーザーを自動的に移動する」**
  既定では、[開く]をクリックすると、参加者は自動的にブレークアウトルームに移動する。このオプションをオフにすると、ブレークアウトルームへの参加を求めるメッセージが参加者に表示され、ブレークアウトルームへ移動するタイミングを参加者自身が選べるようになる
- **「ユーザーがメインの会議に戻ることができるようにする」**
  オンに設定すると、参加者の画面右上に[戻る]、または[ミーティングに参加]が表示されるようになる
  **[戻る]**:ブレークアウトルームから退出し、メインの会議に戻る
  **[ミーティングに参加]**:メインの会議からブレークアウトルームに入る

## ブレークアウトルームを事前設定する

Teams会議では、事前にブレークアウトルームを作成しておくことができます。会議設定時にブレークアウトルームを作成しておくことで、会議中の設定変更を最小限にすることができます。

## 図3-57 ブレークアウトルームを事前設定する

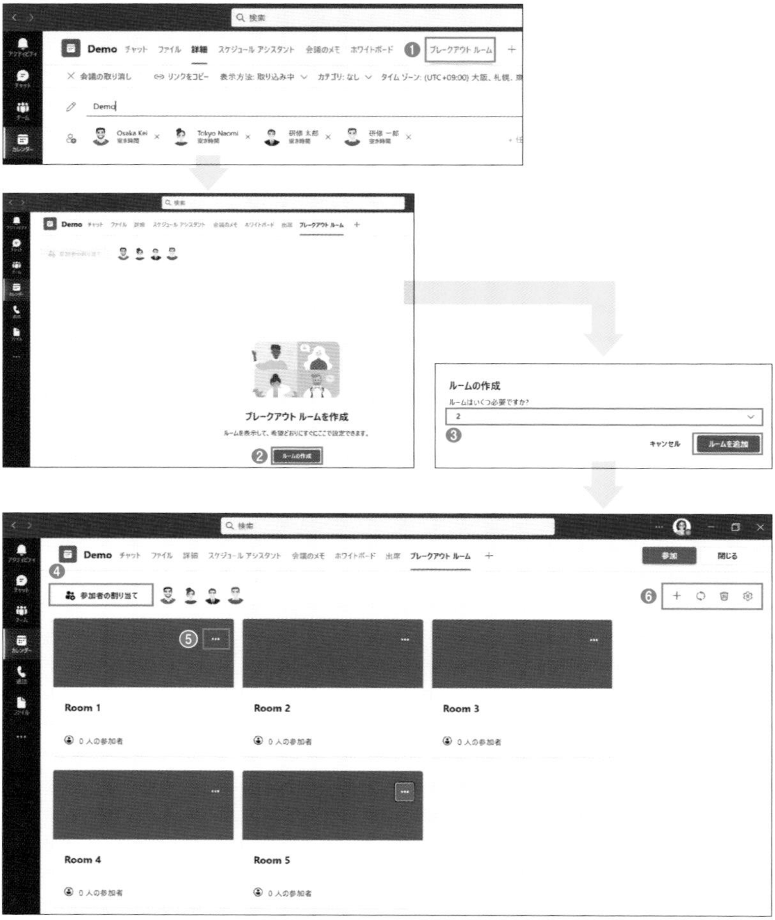


❶Teams会議設定後、会議の詳細画面を表示し、[ブレークアウトルーム]タブをクリック
❷「ブレークアウトルームを作成」の画面が表示されるので、[ルームの作成]をクリック
❸作成するルーム数を指定し、[ルームを追加]をクリック
❹指定した数のルームが作成される。[参加者の割り当て]をクリックし、ルームに人を割り当てる
❺[…]をクリックし、必要に応じて下記の設定をする
　[編集]:ルーム名を変更する場合
　[設定]:会議のオプションを変更する場合
　[削除]:このルームを削除する場合
❻必要に応じて、その他の設定を行う(会議室の各設定については、図3-55・56参照)

# 第4章

# オンラインコミュニケーションを円滑にするコツ

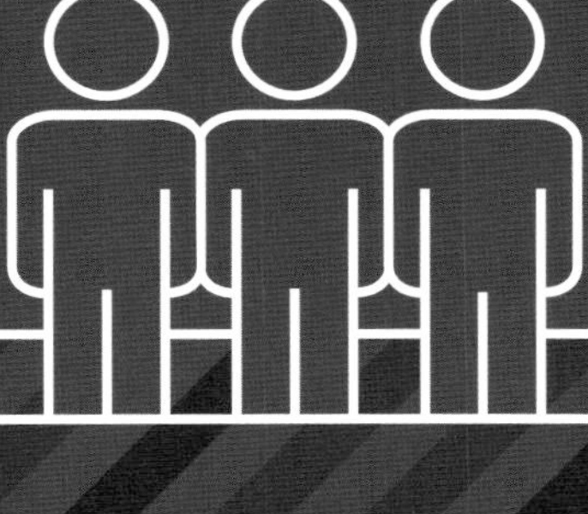

# オンラインコミュニケーションに必要な「スキル」とは？

## 「テクニック」だけで問題は解決しない？

**「文字入力が速すぎて焦ってしまうから、もう少し、ゆっくり入力して。」**

これは数年前、母とチャットをしていた際、母から私に向けられた言葉です。説明するまでもなく、私の入力スピードが、相手（母）に心理的な負荷をかけてしまったNG例です。「テクニック」として速く入力できても、「スキル」として適切な判断ができていなかったことになります。

「テクニック」と「スキル」は同義で扱われたり、さまざまな言葉で定義されたりしますが、本書では、「テクニック」と「スキル」を以下のように定義します。

**テクニック：技術**（訓練を通じて身につけた知識や動作）
**スキル　　：技能**（訓練や経験を通じて身につけた能力で、状況に応じて、最適な判断（意思決定）に基づいて行われる言動）

ところで、「スピードの差に気づかない」「気づくけれど、プレッシャーに感じない」ヒトが相手だった場合は、どうでしょうか？　NG例となるでしょうか？　また、早く入力できる「テクニック」を持ち合わせたヒト同士の場合は、どうでしょうか？　相手の状況に合わせて調整する「スキル」が必要であると意識することさえないかもしれません。

入力スピードの差が理由で、心地よいチャットコミュニケーションができないと感じた場合、どのような対応策が考えられるでしょうか？　考えられる対応策を考えてから、次のページに進んでください。

方法①：チャットから音声通話に切り替える
方法②：入力スピードの速い方が、相手の入力スピードに合わせる
方法③：EQ（感情知性）を発揮して、感情をマネジメントする
方法④：入力スピードの遅い方が、入力スピードをあげる
方法⑤：その他

方法①は、Teamsのチャットから音声通話やビデオ通話に切り替えられる「テクニック」を知っていれば、すぐに使うことができます。ただし、声が出せない状況の場合、この方法を利用することはできません。

方法②は、入力スピードの速い方が相手の速度に合わせればいいので、すぐに使える「テクニック」です。しかし、「(速い方が) 相手の速度に合わせることが、心地よくない」「(遅い方が) スピードを合わせてもらうことは、申し訳ない」と感じるような関係性や状況の場合、対応策にするのは難しいかもしれません。

方法③の**EQ**（感情知性）※1が「スキル」として身についていれば、すぐに使うことができ、不快な感情を軽減できます。同じ状況であっても、「感じ方」はヒトによって異なります。**伝える「目的」を考え、感情的に伝えるのではなく、感情を伝えること**は、EQ（感情知性）のスキルです。チャットコミュニケーションのスピードを活かすという意味では、利点を活かしきれていませんが、自分の状況と相手への要望を明確に伝えることで、心地よいコミュニケーションに変えることにはつながります。

方法④は、根本的な解決になりますが、速く入力できるようになるためには練習が必要なので、すぐに使える対応策にはなりません。

方法⑤は、上記以外、「電話に切り替える」「メールに切り替える」「直接会いに行く」など、いろいろなコミュニケーション手段があると思います。

**心地よくシゴトをする習慣を身につけるには、心地よい方法を考える**ことからです。そして、状況に合わせて最適な方法を選択するために、「テクニック」と「スキル」の両方を身につけることが重要です。

※1：感情知性（EI：Emotional Intelligence）（EQ：Emotional Intelligence Quotient）。学術的にはEIと表現し、一般的にはIQとの対比でEQが使われることが多い。

## 「テクニック」と「スキル」の違いを意識する

コミュニケーションに限らず、**「テクニック」と「スキル」の両方が身についていないと、最適な方法を選択することはできません。**「テクニック」と「スキル」を磨くためには、その違いを知ることが重要です。本書では、「テクニック」と「スキル」の違いについて、元ラグビー日本代表ヘッドコーチだったエディー・ジョーンズ氏の言葉をお借りしたいと思います※2。

> （質問）子供へのコーチングで最も重要なことは？　指導のポイントは何でしょうか？
> （回答）私は子供たちをコーチングしたことがないのですが、ラグビーで一番重要なのはスキルです。スキルとテクニックの違いを知ることも大切です。日本のコーチはテクニックばかりを教えます。キャッチパスをとっても、どういうパスをどんなタイミングで出すかを教えるのがスキルです。子供たちに教えるときは、状況判断とセットにする必要があります。

この質問と回答には、いくつかのことが示唆されています。

1つ目は、**ヒトが何かをできるようになるためには、「テクニック」と「スキル」の両方が必要であり、その本質は変わらない**ということです。

2つ目は、**アンコンシャスバイアス（無意識バイアス）によって前提が変わる**ということです。アンコンシャスバイアスとは、自分自身が気づいていない、モノの見方や捉え方のゆがみ・偏りのことです。質問者がそうであったかは定かではありませんが、年齢というアンコンシャスバイアスがあると、無意識に「大人と子供では違いがある」前提で考え、上記のような「問い」になりやすくなります。すべての人にあるこの「無意識」を、「意識」に変えていくことが大切です。

3つ目は、**スキルを使うときには、状況判断が伴う**ということです。状況判断が難しいのは、さまざまな条件を考慮し、タイミングを合わせて、最適な選択をする必要があるからです。1つの選択肢しかない場合でも、その選択肢を選ぶか否かの判断が必要です。

※2：公益財団法人日本ラグビーフットボール協会HP「第41回みなとスポーツフォーラム」レポート（2014年４月）より引用。https://www.rugby-japan.jp/2014/04/18/id25271/

状況判断をする場合、状況が見えなければ、判断が困難になります。状況が見えなければ、「言葉」で、状況を伝えればいいのです。冒頭の例でいうと、「焦っている」状況を「言葉」で伝えてくれたので、状況に気づくことができました。もし、「言葉」で伝えてくれなければ、状況に気づけず、次回以降も、相手にとって負荷がかかるやり方をしていたことになります。

## 分かりやすい「違い」で「本質」を見失わない

2章「チャットのキホン」、3章「会議のキホン」でも部分的に触れてきましたが、オンラインコミュニケーションを円滑に進めるには、「オンライン」と「対面」の違いを意識してコミュニケーションする必要があります。

ただし、**「違い」を意識することは必要ですが、分かりやすい「違い」に意識が向きすぎると、問題の本質を見誤ってしまうことがある**ので注意が必要です。問題が発生すると、ヒトは原因を探すために、今までとの「違い」を見つけようとします。そして、分かりやすい「違い」を見つけると、その分かりやすい「違い」が原因であると考え、この「違い」だけ理解できれば、解決すると考えます。ところが、原因の本質が別のところにある場合、いつまでたっても問題は解決しません。

「オンラインになったらできない」が増えている原因は、「オンライン」と「対面」の分かりやすい「違い」だけではなく、むしろそれによって問題の本質が隠されてしまっている点にもあります。形だけの1on1やコミュニケーション研修を導入しても問題が解決しないのは、コミュニケーション問題の本質が置き去りになっているからです。

オンラインコミュニケーションを円滑にするためには、「オンライン」と「対面」の違いを意識するだけでなく、ベースとなるコミュニケーションスキルを磨く必要があるのです。

## 自分のスキルの「現在地」を理解する

問題の本質が隠されないように、問題の本質を整理する際に使っているのが、「気づきの３段階」と名付けた図です。

自分で気づいていない問題は、「誰か」や「何か」によって気づかされなければ、当然のことながら、ずっと、そのままの状態です。

気づいていない問題が「テクニック」に関係する場合、フェーズを①→②、②→③にすること（気づいている状態にすること）は、比較的簡単です。冒頭の「入力スピード」で考えると、「１分間に●文字入力できる」と数値で表せるので、自分のスキルの「現在地」と「目標」の差を客観的な数値で知ることができます。

一方で、気づいていない問題が「スキル」に関係する場合、これは途端に難しくなります。たとえば、あなたのコミュニケーションスキルについて、自分のスキルの「現在地」と「目標」の差を客観的な指標で示すことができるでしょうか？

**図4-1　気づきの３段階**

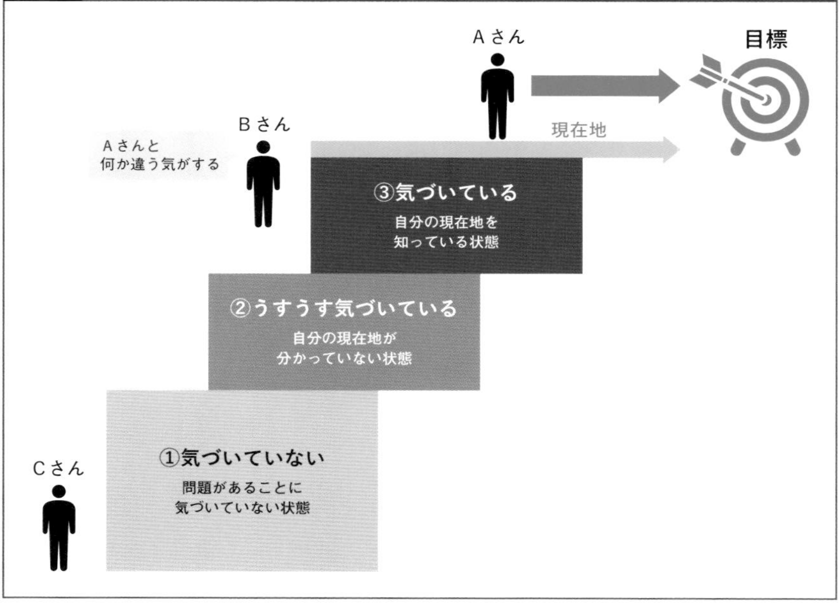

コミュニケーションスキルの評価は、「サービス」に対する評価と同様で、提供側がいくらよい「コミュニケーション」を提供していると考えても、受けとる側がよい「コミュニケーション」であると感じなければ、評価されません。相手が変われば、相手の受け取り方しだいで評価が変わるので、単純に数値化することは困難です。だからこそ、自分のスキルの「現在地」は分かりづらいのです。

## コミュニケーションスキルは長く使えるスキル

一般的な「サービス」の場合、直接的な対価が支払われますが、コミュニケーションスキルに対しては、一部の職業を除くと、直接的な対価が支払われません。そのため、コミュニケーションスキルは、大切であると分かっていても、スキルの修得を後回しにしがちなのです。

しかし図4-2を見てください。これは1955年、米国のハーバード大学の経営学者ロバート・L・カッツ氏によって提唱された**カッツ理論**（カッツモデル）です。この理論は、マネージャーに必要とされるスキルを「テクニカル・スキル（業務遂行能力）」「ヒューマン・スキル（対人関係能力）」「コンセプチュアル・スキル（概念化能力）」の３つに分類し、マネジメントレベルによって必要とされる割合がどのように変化するかを定義したもので、現在でも組織開発や人材開発で活用されている考え方です。

ヒューマン・スキル（対人関係能力）は、他の２つのスキルと異なり、マ

**図4-2 カッツ理論(カッツモデル)**

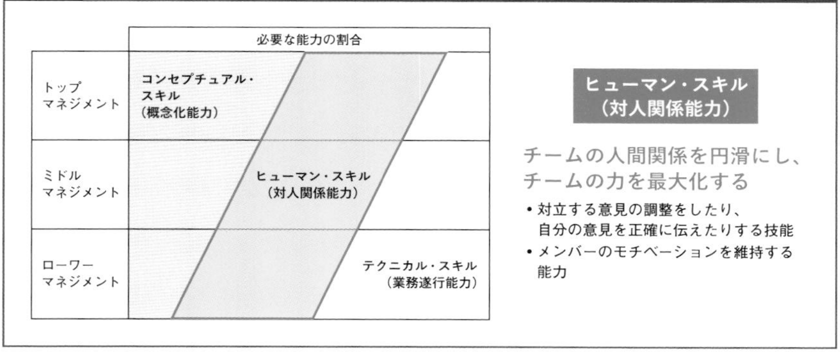

ネジメントレベルに関係なく、必要とされる分量が普遍なスキルです。言い変えると、早くスキルを身につければつけるほど、長い間、使い続けられるスキルであると言えます。ヒューマン・スキルはチームの人間関係を円滑にし、チームの力を最大化するためのスキルであり、その中心にあるのがコミュニケーションスキルなのです。

## コミュニケーションスキルを複合的に磨いていく

1997年から経団連が行っている「新卒採用に関するアンケート調査結果」[※3]によると、企業が採用の際に求めるスキルは、「コミュニケーション能力」が第1位（2004年以降、16年連続）です。また、世界的にみても、世界経済フォーラムで定期的に発表される「○○年までにビジネスパーソンに必要とされるスキル」に、コミュニケーションに関連するスキルが多く入っていることが分かります。

**表4-1　ビジネスパーソンに必要なスキルの変遷**

| | 2015年 | 2020年 | 2025年 |
|---|---|---|---|
| 1位 | 複雑な問題の解決 | 複雑な問題の解決 | 分析思考とイノベーション |
| 2位 | 他者との調整力 | クリティカルシンキング | アクティブラーニングとラーニング戦略 |
| 3位 | 人材の管理 | 創造力 | 複雑な問題の解決 |
| 4位 | クリティカルシンキング | 人材の管理 | クリティカルシンキングと分析 |
| 5位 | 交渉力 | 他者との調整力 | 創造力と独創性とイニシアチブ |
| 6位 | 品質管理 | 感情知性・EQ | リーダーシップと社会的影響力 |
| 7位 | サービス指向 | 判断力・決断力 | テクノロジーの利用・監視・制御 |
| 8位 | 判断力・決断力 | サービス指向 | テクノロジーの設計とプログラミング |
| 9位 | 傾聴力 | 交渉力 | レジリエンス・ストレス耐性・柔軟性 |
| 10位 | 創造力 | 認知の柔軟性 | 推論・問題解決・発想 |
| 11位 | | | 感情知性・EQ |
| 12位 | | | トラブルシューティングとユーザー経験 |
| 13位 | | | サービス指向 |
| 14位 | | | システム分析と評価 |
| 15位 | | | 説得力と交渉力 |

紫：コミュニケーションスキル
緑：人間科学
青：思考
赤：感情
橙：創造
※色の分類は、筆者による分類
※2020年10月のレポートより15位まで発表

※3：https://www.keidanren.or.jp/policy/2018/110.pdf

ここまで、コミュニケーションスキルの重要性を説明してきました。しかし後回しにせずスキルを修得したいと思っても、「どのように、どういう順番で学ぶのか？」は、なかなか難しいものです。ひと口にコミュニケーションスキルと言っても、コミュニケーションスキルには、「聴く力」「伝える力」「交渉する力」など、さまざまな能力（スキル）が必要です。

また、コミュニケーションスキルは、あなたが選択した「言葉」や構成した「文章」のように可視化しやすいスキルと、「EQ（感情知性）」「思考力」「分析力」のように可視化しづらいスキルが複合的に関わり合っているので、その関係性を理解しながらスキルを磨いていく必要もあります。

図4-3は、コミュニケーションに必要な主なスキルを表したものです[※4]。本章では、このようなスキルの修得が重要であることを踏まえながら、一歩踏み込んだオンラインコミュニケーションのポイントを説明していきます。

**図4-3 コミュニケーション能力に必要なスキル**

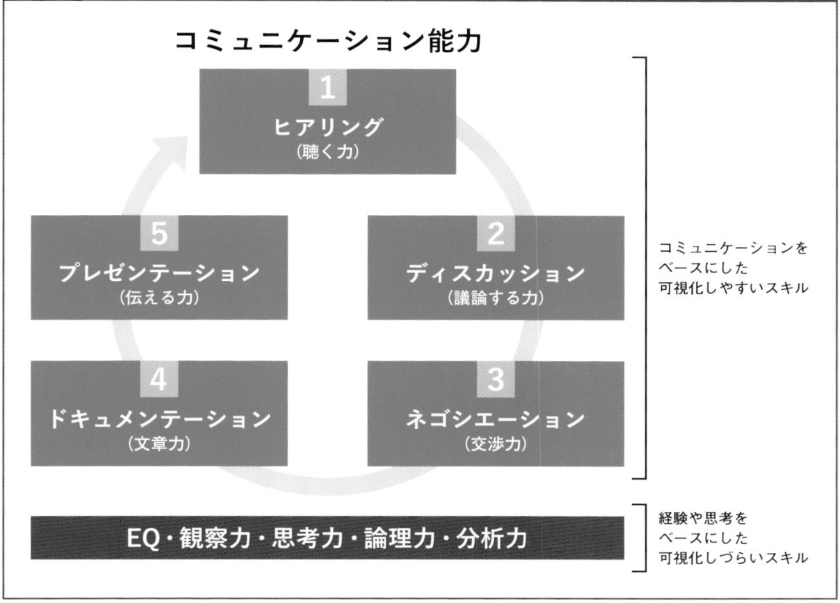


※4：コミュニケーションスキルを身につけるためには、さまざまなスキルが必要であること意図した図であり、掲載したスキルですべてを網羅しているということではない。

# メールとチャット それぞれの課題と解決方法

## テキストコミュニケーションの課題

**テキストコミュニケーション**とは、「メール」や「チャット」を使って、テキスト（文字）ベースで伝達、意思疎通を行う手法のことです。ハイブリットな「働き方」になって、チャットが増えるにつれ、「テキストだとうまく伝わらない」「音声コミュニケーションと比べると、相手と距離を感じる」「書かれたことが厳しく感じる」など、テキストコミュニケーションに悩むヒトが増えています。

もし、あなたが同じような悩みをお持ちの場合、整理してほしいことがあります。それは「メール」と「チャット」に共通する悩みですか？　それとも、「メール」または「チャット」のどちらかの悩みですか？

テキストコミュニケーションといっても、「メール」と「チャット」の特性は異なります。テキストコミュニケーション共通の課題もありますが、ツールの特性によって生じやすい課題もあります。

## メールの課題　～組織に潜む非効率メール～

「ビジネスメール実態調査2022」※5の調査結果では、仕事で使っている主なコミュニケーション手段の第1位は「メール」で、98.69％になります。

メールを1通作成するのにかかる平均時間は6分5秒で、7割を超える人が1通あたり5分以内で作成という結果がでている一方で、1通作成するのに10分以上かかっている人が23.32％います。

また、7割（70.35％）を超える人が「1日（24時間）以内」に返信がこないと遅いと感じるという結果が出ています。

※5：https://businessmail.or.jp/research/2022-result/

**図4-4　メールからチャットコミュニケーションへ**

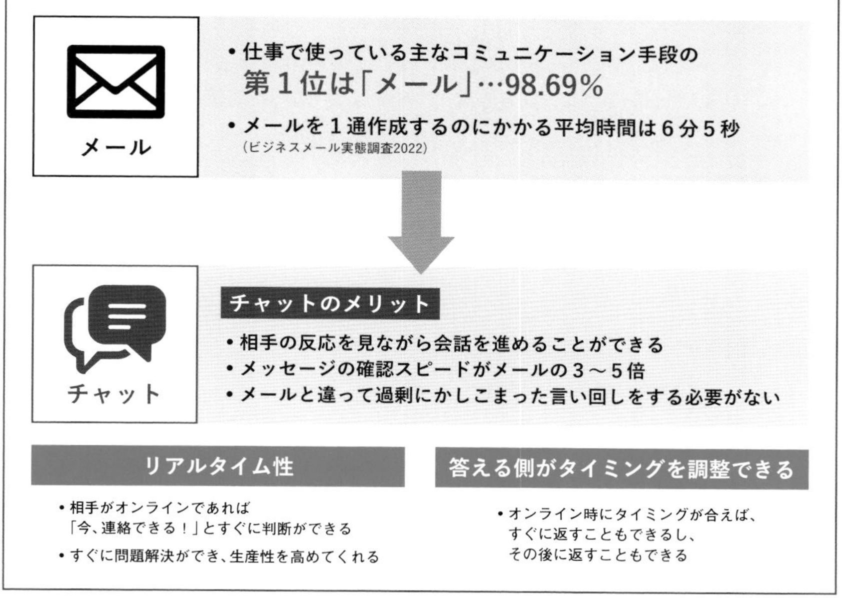
メール
・仕事で使っている主なコミュニケーション手段の
第１位は「メール」…98.69％
・メールを１通作成するのにかかる平均時間は６分５秒
（ビジネスメール実態調査2022）
チャット
チャットのメリット
・相手の反応を見ながら会話を進めることができる
・メッセージの確認スピードがメールの３～５倍
・メールと違って過剰にかしこまった言い回しをする必要がない
リアルタイム性
・相手がオンラインであれば
「今、連絡できる！」とすぐに判断ができる
・すぐに問題解決ができ、生産性を高めてくれる
答える側がタイミングを調整できる
・オンライン時にタイミングが合えば、
すぐに返すこともできるし、
その後に返すこともできる

チャットでのコミュニケーションが増えつつありますが、ビジネスの場、特に社外とのやり取りにおいては、圧倒的にメールが多く使われています。これは、**「メールに費やす時間」を削減できれば、業務効率をあげることができる**ことを意味しています。

ところが、メールを作成する過程は可視化されづらく、実際に費やしている時間も把握されづらいのが特徴です。そのため、シゴトの生産性を落としている原因の１つが、メールの書き方や使い方にある（例：メールの内容が不十分で、内容確認のメールが何往復も行われる場合）としても、そのことに気づいていないケースが見受けられます。

特に、メールの書き方に原因がある場合、コミュニケーション研修でメールのレビューをすると、「これまで、長文で冗長なメールを書いていたことに気づいていなかった」「内容確認のメールが何往復も発生するのは、相手の理解力不足だと思っていたけれど、自分が曖昧なメールを書いていた」といった感想が寄せられます。

つまり、組織やチームのシゴトに時間がかかっている場合、メール処理に起因している可能性があるので、メールソフトの使い方やメールの作成時間を確認し、見直す必要があるということです。

また、**組織やチームで、コミュニケーションツールの使い分けルールを決め、明文化して周知しておく**ことも重要です（例：社内はチャット、社外はメール）。

## チャットの課題　～無意識バイアスと感情の衝突～

チャットは、気軽に相手に話かけることができるという利点がある一方で、「メッセージを読んだらすぐに回答すべきである」という価値観を相手に押しつけがちになります。

**話しかける方が気軽に話しかけることができても、相手がすぐに応答できる状況とは限りません。**Teamsのステータスメッセージやプレゼンスから判断できない緊急事態が発生しているかもしれません。

ある組織の事例を紹介します。「リーダーにチャットしても、その日に回答をくれないことが多く、不満を感じています」と相談がありました。そこで、「いつまでに回答が欲しいと書いていますか？」と質問すると、「書いていません。だって、チャットだから……」とのこと。後日、リーダーにメンバーの意見を伝えたところ「その日に回答しないことを不満に思われているとは、思いもしなかったです」と回答が返ってきました。

これがまさに、「チャットだから回答はその日」という無意識バイアスが引き起こした問題です。メールでは返信希望日時を書くことが習慣化されていた組織であっても、「チャットだから早く回答がくるはず」「チャットだからその日に返事があるはず」といった、「すぐに回答すべきである」という無意識バイアスによって、心地よくない状況が発生していた例になります。

これを受けて、この組織では、次のようにルール化をしました。

ルール①：依頼する側は、チャットであっても、返信希望日時を書く
ルール②：依頼された側は、希望日時で返せるのであれば、「いいね！」を押す。希望日時に返せないのであれば、その旨を返信する
ルール③：希望日時が書かれていない場合、依頼された側が確認をする

大事なことは、**一緒にシゴトをするチームメンバーが、心地よくシゴトができるように、全員が守れるルールを共通ルールとして認識する**ことです。「既読スルー」という言葉も生まれていますが、この状態についても、感情的に受け取らないようにしてください。チャットコミュニケーションでは、差し迫った判断が必要な場面以外で、「すぐに回答すべきである」という価値観を押し付けないようにすることが重要です。

このような価値観が蔓延すると、チャットツールの魅力を大幅に損なうことになります。緊急性が高く、すぐに連絡が欲しい場合は、まずはチャットで、「今、電話できる？　OKかNGを教えて！　○○の件」と状況を相手に伝えるようにしましょう。

その他にも、チャットのよくある課題には、以下のようなものがあります。

- 会話が次々と流れてしまう
- ナレッジやデータが整理できない
- 関係のない通知がたくさん飛んでくる
- 会話を振り返るときに探すのが面倒

２章で説明したように、Teamsは「チーム」と「チャネル」で情報を構造化できます。本節ではチャットをさらに使いやすくするために、未読メッセージの取り扱いや「通知」の表示をカスタマイズする方法を紹介します。

## Teamsチャットの「未読」と「既読」を使いこなす

### 相手がメッセージを開封したかどうかを確認する

1対1のチャットやグループチャットで、相手が自分のメッセージを開いたかどうかを知りたい場合、メッセージの横に表示される（送信済み）が、（全員既読）に変わっているかどうかで確認できます。

**図4-5　「既読」と「未読」の見分け方**

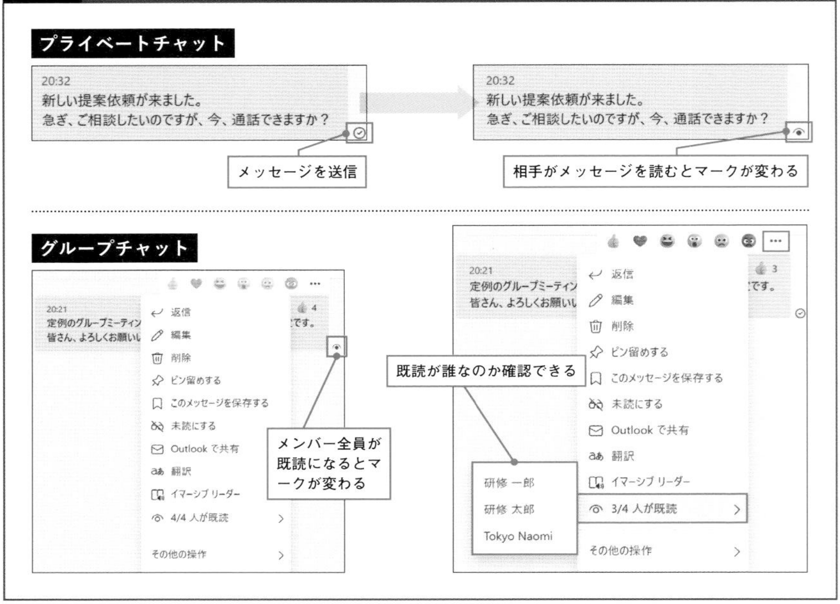


### 【注意】既読確認

Teamsの既定では、「既読確認」がオンになっています。しかし、相手が「既読確認」をオフに設定していた場合、「既読確認」ができなくなります。グループチャットの場合、人数が20人以下で、グループ全員が「既読確認」がオンになっていることが条件です。すべてのユーザーが自分のメッセージを開封したときに、（全員既読）になります。

プライバシーを保護する観点から、既読確認をオフにすることも可能ですが、オフにすると、グループ全体の既読状況が分からなくなるといったデメリットがあります。チームが混乱しないように、チームの運用方針・運用ルールを決めてからオフにするかどうかを決めてください。設定を変更する場合、アカウントアイコンをクリックし、[設定]の[プライバシー]で変更することができます)。

既定では「ユーザーによる制御」が可能になってるので、ユーザーがオン・オフを制御できますが、管理者がMicrosoft Teams管理センターで、ユーザーによる制御を無効にし、強制的に開封確認機能を有効にした場合は、ユーザーが設定を変更することはできません。



**図4-6 既読確認**

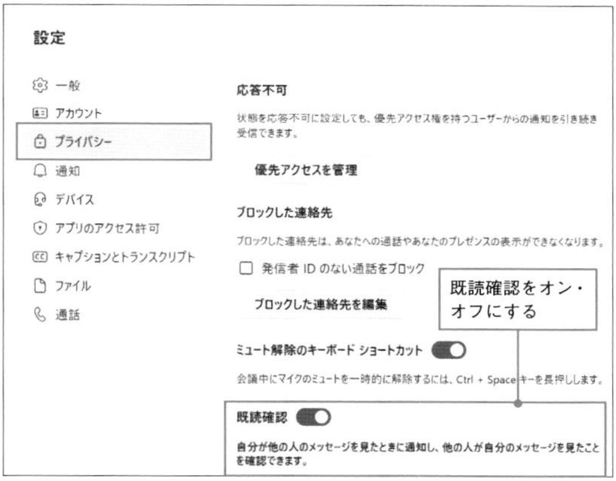


## 自分が未読のメッセージをまとめて確認する

バナー通知(デスクトップ画面右下に表示される通知)が表示されても、すぐにメッセージを読んで対応できるとは限りません。「チャネル」の投稿については、2章で紹介した[アクティビティ(活動)]のフィードのフィルターを使って、未読メッセージを確認できますが、1対1のチャットとグループチャットの未読メッセージをまとめて表示する場合は、チャットのフィルターを利用します。

**図4-7　チャットの未読メッセージをまとめて確認する**

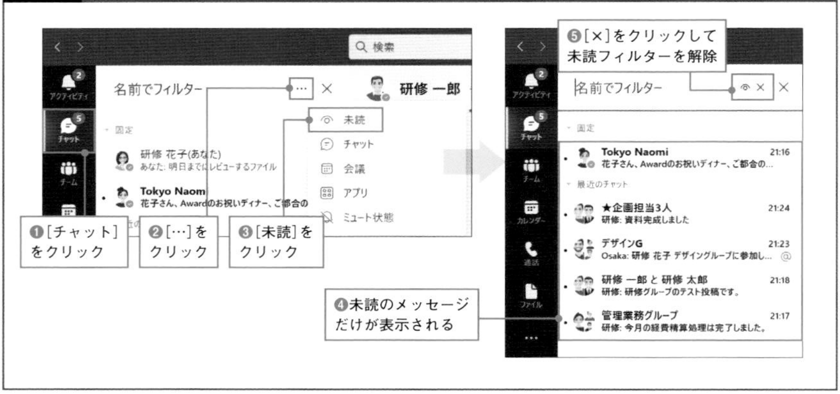
検索
名前でフィルター
研修 一郎
アクティビティ
チャット
チーム
固定
研修 花子(あなた)
あなた: 明日までにレビューするファイル
Tokyo Naomi
花子さん、Awardのお祝いディナー、ご都合の
未読
チャット
会議
アプリ
ミュート状態
❶[チャット]をクリック
❷[…]をクリック
❸[未読]をクリック
❹未読のメッセージだけが表示される
❺[×]をクリックして未読フィルターを解除
名前でフィルター
カレンダー
通話
ファイル
固定
Tokyo Naomi 21:16
花子さん、Awardのお祝いディナー、ご都合の...
最近のチャット
★企画担当3人 21:24
研修: 資料完成しました
デザインG 21:23
Osaka: 研修 花子 デザイングループに参加し...
研修 一郎 と 研修 太郎 21:18
研修: 研修グループのテスト投稿です。
管理業務グループ 21:17
研修: 今月の経費精算処理は完了しました。

## メッセージの既読を未読に変更する

メッセージを開くと既読になるため、後で対応したいメッセージを見分けづらくなり、シゴトが抜けもれてしまうリスクがあります。

2章でメッセージを保存する方法を紹介しましたが、もう1つの方法として、既読を未読に戻し、後で未読メッセージだけをフィルター表示し、まとめて処理することもできます。

**図4-8　既読を未読に戻す**

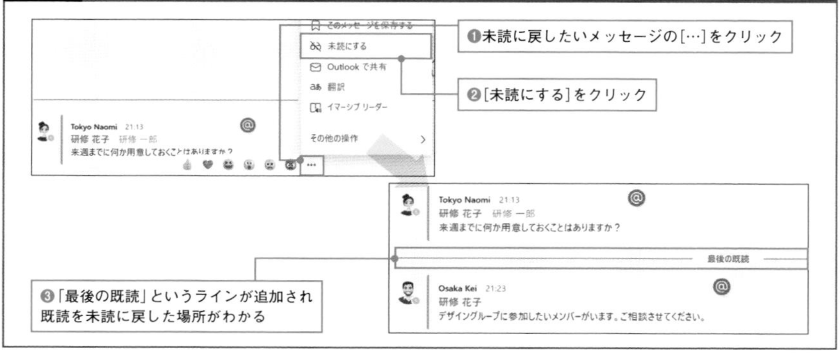
このメッセージを保存する
未読にする
Outlook で共有
翻訳
イマーシブ リーダー
その他の操作
Tokyo Naomi 21:13
研修 花子　研修 一郎
来週までに何か用意しておくことはありますか？
❶未読に戻したいメッセージの[…]をクリック
❷[未読にする]をクリック
Tokyo Naomi 21:13
研修 花子　研修 一郎
来週までに何か用意しておくことはありますか？
最後の既読
Osaka Kei 21:23
研修 花子
デザイングループに参加したいメンバーがいます。ご相談させてください。
❸「最後の既読」というラインが追加され既読を未読に戻した場所がわかる

## Teamsの「通知」の表示をカスタマイズする

Teamsでは、さまざまなタイミングで「通知」を受け取ります。既定では、メンションされた場合は、デスクトップ画面右下に表示されるバナー通知（ポップアップ通知）とメールで通知され、返信や「いいね！」が押下された場合は、バナーで通知されます。

通知があると、Teams画面のアプリバーの［アクティビティ（活動)］に数字が、［チーム］にバッジが表示されます。また、「チームリスト」の該当チャネルの右側にも数字が表示されます。

**図4-9 通知表示**

### バナー通知を非表示にする（チームのチャネル）

シゴトに集中したいときや会議の発表中など、バナー通知が画面に表示されたくないときがあります。「チャネル」の投稿でメンションされたときや、チャットメッセージを受信したときの通知の表示・非表示は、カスタマイズすることができます。

**図4-10　チャネルの通知をカスタマイズする**

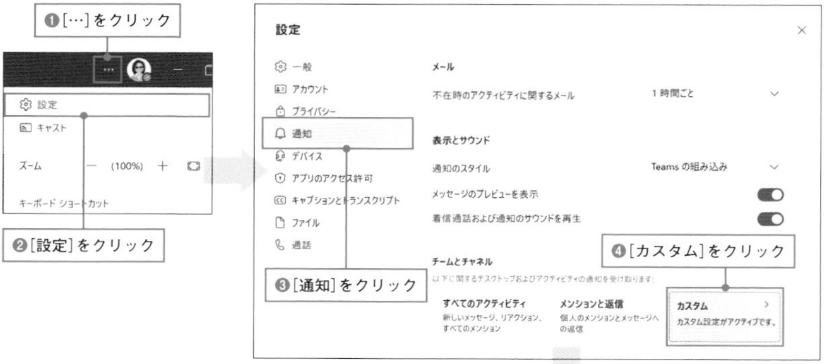


**通知方法による表示場所の違い**

| 通知方法 | 説明 |
|---|---|
| バナーとフィード | デスクトップ画面の右下に通知が表示されるとともに[アクティビティ(活動)]のフィードにも通知が届く |
| バナー | デスクトップ画面の右下に通知が表示される |
| フィードにのみ表示 | [アクティビティ(活動)]のフィードにのみ通知を表示する |
| オフ | 通知をオフにする |

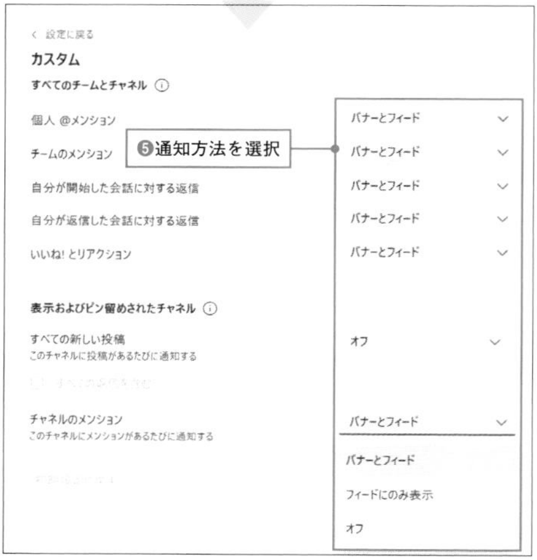


## バナー通知を非表示にする(チャット)

チャットについても、既定の通知を変更したい場合、通知方法をカスタマイズすることができます。

**図4-11 チャットの通知をカスタマイズする**

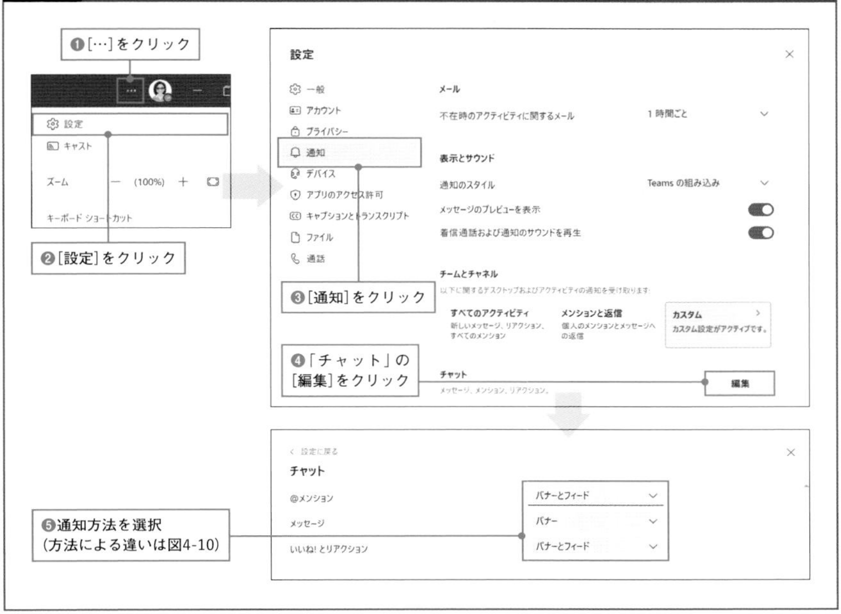


## プレゼンスの「応答不可」を利用して、バナー通知をオフにする

「通知」の設定をカスタマイズすることで、バナー通知をオフに設定することができますが、一時的にバナー通知をオフにしたい場合は、プレゼンスを手動で「応答不可」に設定します。

Teamsのユーザーは、プレゼンス状態に関係なく、すべてのチャットメッセージを受信します。ユーザーのプレゼンスを「応答不可」に設定すると、引き続きチャットメッセージを受信しますが、バナー通知は表示されなくなります。再度、バナー通知を表示したい場合は、手動でプレゼンスをリセットします。プレゼンスの変更については、2章の「プレゼンスを手動で変える」を確認してください。

# 「言葉」は言葉以上の意味をもつことを知る

テキストコミュニケーションは、簡潔さが求められる反面、言葉の選び方によっては、相手に不快な感情を与えてしまうことがあります。

相手の声や表情が分からないので、相手がどのような雰囲気や温度感で伝えているのか分かりません。たとえば、急いで用件だけ簡潔に書いたつもりが、いつもと言葉の調子が違うので、「(あなたが) 怒っているのかもしれない」「(あなたが) 機嫌が悪いのかもしれない」と、テキストを受け取った相手が誤解するかもしれません。あなたにそのつもりがなくても、意図せず「きつく」伝わってしまうことがあるのです。

情報が少ないと、ヒトは少ない情報から察したり、想像したりします。そして、その方向性が誤っていると、ネガティブな感情のループにはまり、心地よいコミュニケーションが成り立たなくなります。認識の齟齬（そご）が起きないように、的確に伝えることは大前提ですが、どのように伝えれば、相手と心地よいコミュニケーションができるか、気を配る必要があります。

## 「言葉」のイメージを想像する

**「あなたは、自己主張が強いヒトですね。」**

上記のように誰かから言われた場面を想像してください。あなたに、この言葉が向けられた場合、どのように感じますか？　「肯定的 (好意的)」「中立的 (好意的でも否定的でもない)」「否定的 (敵意)」の３択であれば、どれになりますか？　コミュニケーション研修でこの質問をすると、日本育ちのヒトの８割～９割は、自分を否定された気持ち、嫌な気持ちがすると回答します。一方、欧米育ちのヒトの多くは、肯定的に捉えます。

これは、言葉の持つイメージとして、「自己主張」≒「相手のことを考えずに、わがままを言う」と感じるのか、「自己主張」≒「自分の意見をはっきり伝えることができている」と感じるのか、捉え方の違いになります。

**「あなたは、自分の思いを素直に表現するヒトですね。」**

では、このように言われた場合はどうでしょうか？　褒められているので嬉しいと「肯定的（好意的）」に受け取る方もいれば、もしかしたら、皮肉を込めて、遠回しに表現しているのかもしれないと捉える方もいます。言葉には、言葉の意味とは別に、言葉がもつイメージがあります。誰が聞いても不快と感じる言葉もあれば、ヒトによって感じ方が異なる言葉もあります。

言葉は、言葉以上のことを相手に伝えます。言葉の選び方や文章だけでなく、言葉を発している本人の意識に現れない本音まで、相手に伝わるのです。



## 「曖昧」で「不確実」な言葉を自覚する

自分が思っている以上に、曖昧で、不確実な言葉を日常的に使っていることにも意識を向ける必要があります。たとえば、「なるべく早く、お願いします」「これ、今日中でお願いします」という言葉を何気なく使っていますが、「なるべく早く」と「今日中」の判断は、ヒトによって異なります。

6W2H（5W1H）の認識を合わせることが大事だと知っていても、実際のコミュニケーションでは、意外と抜けもれてしまっています。一つひとつの言葉に意識を向けていないと、つい曖昧な言葉を使ってしまいます。

**言葉を選ぶときに、数字で表現できるかどうかに意識を向け、数字で表現できることは、数字を使って表現**します。たとえば、「なるべく早く」を「3時間以内で」「15時までに」としたり、「今日中で」を「今日の17時までに」に変えるといった具合です。

**図4-12　曖昧な言葉のNG集（事実と主観）**

- ✕ 普通は○○だよね。○○はできて、当たり前だよね。
- ✕ いつも、○○だよね。
- ✕ いいから、まず、言われたとおりにやって。
- ✕ ちゃんと、○○して。しっかり、○○して。
- ✕ 相手の立場にたって、○○して。

**Point**
- 人は主観で判断していることを理解する
- 頻度は具体的な回数で考える
- 曖昧な日本語を意識する

「曖昧」で「不確実」な言葉は、言葉を「送った側」と「受け取った側」で解釈が異なります。たとえば、「就業時間内でお願いします」と言われた場合、同じ組織であれば、就業時間が何時を意味するか分かりますが、異なる組織の場合、就業時間が何時なのか分かりません。

**図4-13　「送り手」と「受け手」とのギャップを理解する**

すべてのヒトに「主観」があり、「アンコンシャスバイアス」があります。**コミュニケーションがすれ違い、モヤモヤ、イライラを感じたら、自分の「主観」と相手の「主観」のどこが違うのか、どのような「アンコンシャスバイアス」があるのか、などを確認する習慣**を身につけることで、心地よいコミュニケーションができるようになります。

## 「否定表現」と「肯定表現」を使い分ける

同じことを伝える場合でも、「否定表現」を使うか「肯定表現」を使うかで、相手に与える印象が大きく変わります。

【否定表現】そのやり方では、うまくいかないよね。
【肯定表現】やり方を変えれば、うまくいくよね。

【否定表現】３日以内に仕上げてもらわないと困ります。
【肯定表現】３日以内に仕上げてもらえると助かります。

【否定表現】空き缶以外捨てないでください。
【肯定表現】空き缶だけ捨ててください。

あなたは、普段のコミュニケーションで、「否定表現」と「肯定表現」を意識して、使い分けていますか？　また、あなたは、どちらで言われた方が行動したくなりますか？

「否定表現」で言われた方が、反骨精神でやる気になる方もいるでしょうし、「肯定表現」で言われた方が、素直に行動したいと思う方もいます。「否定表現」で伝えた場合、相手との関係性によっては、相手から「威圧的」「上から目線」と受け取られる場合がありますが、伝える内容（禁止や注意）によっては、意図的に使った方が相手に強く伝わります。

重要なのは、「否定表現」と「肯定表現」のどちらの表現を使った方が、相手の行動が促されるかということです。ヒトには感情があるので、正論を伝えただけでは、相手の気持ちは動きません。**コミュニケーションの目的が、相手が行動することであれば、相手が行動したいと感じる伝え方が必要**です。

つまり、「否定表現」と「肯定表現」のどちらが「よい」「悪い」ではなく、相手との関係性、相手の人柄、その場の状況などを冷静に判断し、最適な表現を選べることが大切だということです。

## 「否定表現ではない言葉が、否定的に伝わる」ことも

否定表現ではない言葉が、相手に否定的に受け取られる場合があることにも注意が必要です。その代表例に、「なぜ」と「理解できません」があります。

たとえば、誰かから「うまくいかなかった理由は、なぜですか？」と聞かれたとき、責められた気持ちになった経験はありますか？　また、「うまくいった理由は、なぜですか？」と訊かれた場合は、どうでしょうか。

「なぜ？」と訊かれると、「責められているのかもしれない」「納得していないのかもしれない」と、質問者の事実確認のための「なぜ」を、否定や疑惑の「なぜ」で受け取ってしまう場合があります。

「理解できません」も同様に、理解できていない状況を相手に伝えるための言葉ですが、言葉を受け取った側は、「自分のことを理解してもらえない」「自分のことを否定された」と感じてしまう場合があります。

否定表現でない言葉が否定的に伝わってしまう場合、その背景には、「言葉を発する側」と「言葉を受け取る側」の前提に相違があります。言葉を受け取る側の前提が、「誰もが理解できる内容だから、説明しなくても分かるはず」の場合、説明しなくても分かるはずのことを「なぜ？」「理解できません」と言われるということは、間接的に「自分のことを否定されている」と感じてしまうのです。

前提のズレは、「なぜですか？」「理解できません」という言葉を使う代わりに、「○○という理解であっていますか？」と伝えることで、確認することができます。言葉を受け取る側の場合も、否定されたと思い込むのではなく、「あなたは、どのように考えていますか？」と質問をすることで、相手の前提を確認することができます。

**コミュニケーション問題の多くは、お互いの前提が異なることに起因します。前提を確認するために、まずは、自分がどこまで理解しているかを具体的に確認する習慣**を身につけましょう。

# 心地よく伝わる文章の書き方を考える

同じことを伝える場合でも、文章の構成や情報の粒度は、ヒトによって異なります。1章のプロセス思考の部分で、粒度を揃え、プロセスの過不足を顕在化させることが、組織の問題や課題を改善する第一歩であるという話をしました。

テキストコミュニケーションは、「書く側」と「読む側」の情報の粒度が揃っていないと、心地よいコミュニケーションになりません。ここでは、「文章の書き方」について、必要なスキルとTeamsのテクニックを解説します。



## 1番最初に「目的」を書く

メールでもチャットでも、1番最初に書くのは「目的」です。読み手が文章の趣旨を理解しやすくなるので、1番最初に目的を書くようにします。

### 【Tips】謝るときの「説明」は「言い訳」に思われない順番で書く

何らかの理由で謝らなければいけない場面で、相手から「言い訳をするな！」と叱責され、状況をさらに悪化させている原因の多くは、先に状況説明をしているケースです。当人は「説明」をしているつもりですが、謝罪の気持ちが相手に伝わる前の説明は、「言い訳」に思われてしまうことがあります。1番最初に書くのは「目的」です。

謝罪の目的は、真摯に謝ることです。①「真摯に謝る」→②「状況を報告する」→③「対応策を示す」の流れで書くとよいでしょう。また、状況報告の分量が多い場合、状況報告を「概要」と「詳細」に分け、①「真摯に謝る」→②「状況を報告する（概要）」→③「対応策を示す」→④「状況を報告する（詳細）」の流れで書き、②の内容で不足がある場合、④に記載がある旨を伝えるようにするとよいでしょう。

## 1文を短く書く

長い文章は、書く方も大変ですが、読む方も大変です。分かりやすい文章を書くコツは、**一文一義**（いちぶんいちぎ）といって、1つの文章に、1つの事柄だけを書くことです。チャットの場合は、さらに、一文が長いと読みづらくなります。1文が長くなってしまう原因は、接続助詞の「で」や「が」を使って、文章をつないで長くしてしまうパターンです。

また、複数の用件は箇条書きや段落番号を利用するとよいでしょう。特に、相手に質問や確認をする場合、相手が回答しやすくなります。

### 箇条書きや段落番号を利用する

Teamsチャットでは、「書式エディター」を利用して、箇条書きにしたり、表を挿入したり、相手に読みやすい構成にすることができます。

図4-14 箇条書きを利用する

箇条書きの活用
プロジェクトXの進め方について
業務効率化のために、プロジェクトを下記のとおり進める予定です。
ご懸念点あれば、本投稿に返信をお願いします。
• 投稿した意見や質問に賛成であれば、「いいね」をクリック（賛成です、反対です等の返信記載はNG）
• 投稿が業務指示や依頼の場合、読んだら「いいね」をクリック、完了したら「ステキ」に変更する
• 役職に関係なく、会議設定のための打診は不要です。関係者のスケジュールが空いているところに直接設定
新しい投稿
全員が返信できる
複数のチャネルに投稿
❶
段落
プロジェクトXの進め方について
業務効率化のために、プロジェクトを下記のとおり進める予定です。
ご懸念点あれば、本投稿に返信をお願いします。
❷
• 投稿した意見や質問に賛成であれば、「いいね」をクリック（賛成です、反対です等の返信記載はNG）
• 投稿が業務指示や依頼の場合、読んだら「いいね」をクリック、完了したら「ステキ」に変更する
• 役職に関係なく、会議設定のための打診は不要です。関係者のスケジュールが空いているところに直接設定
議事録の作成、共有方法について、どの方法がよいかを教えてください。
回答は、本投稿の後のFormsからお願いします。
1. 会議のメモを使う
2. OneNoteをつかう

❶［箇条書き］アイコンをクリック。アイコンが表示されていない場合は、書式バーの右側の［…］をクリックし、メニューから［箇条書き］を選択
❷箇条書きの「●」が表示されるので箇条書きで書く
❸箇条書きを終了する場合は、［Enter］キーを2回押下する
※文章を書いた後に、箇条書きにする場合は、箇条書きにする部分をドラッグして選択後、［箇条書き］アイコンをクリックする

ヒトの感情がややこしいのは、「未知に対する不安」に対して、因果関係のない理由を結び付け、変化しないようにすることです。それは、元々、ヒトの脳と肉体が、保身のために変化を嫌うようにできているからです。

「未知に対する不安」すなわち「絵文字やステッカーを使ったことがない不安」に、無意識に「相手が不快に思うかもしれない」「相手が誤解を招くかもしれない」という理由をつけて、変化しないようにしているのです。

## 文章や文字に表情をつける

文章や文字に表情をつけることで、言葉だけでは伝えきれない感情を表現することができます。特に、文章の最後の表現を変えると、文章の印象を変えることができます。

たとえば、気さくで親しみやすい感じで伝える場合は、「○○をお願いしますー」「○○をお願いします～」のような長音表現で柔らかさを表現することができます。また、誰かに強くお願いしたい場合、「お願いしますっ！！！」のような勢いを感じられる表現を使います。

相手との関係性や相手の性格を見極め、失礼のない範囲で文章や文字に表情をつけることで、親しみやすく、和やかなテキストコミュニケーションになります。

## 絵文字・GIF・ステッカー・称賛を使う

Teamsチャットでは、テキストだけでは表現できない自分の「気持ち」を、絵文字・GIF・ステッカー・称賛で表現することができます。ステッカーの場合、吹き出しのメッセージを変えることも可能です。

**図4-18　絵文字・GIF・ステッカー・称賛を使う**

チャットコミュニケーションは、便利に使うことができる一方、対面やビデオ・音声通話と異なり、気づかないうちに、相手に誤解を与えたり、自分の意図しない伝わり方になってしまったりします。

２章で説明したように、Teamsの「ステータスメッセージ」や「プレゼンス」を使うことで、姿が見えない相手に状況を伝えることができます。ツールの機能を利用して不足情報を補い、テキストコミュニケーションの特性を理解した上で、言葉を選び、文章の書き方を工夫することが大切です。

**図4-19 テキストコミュニケーション（チャット）のポイント**

## 1 相手の入力スピードや状況を配慮する

- 入力スピードの差が心理的プレッシャーになることに注意する
- 可能な範囲で、即時返信を心がける
- 業務時間外のメッセージに注意する（スマートフォンを使っている場合、通知がスマートフォンに出る）
- 相手との距離感に気をつける

## 2 文を短く、分かりやすい言葉で記述する

- 主語（Who）を入れる、6W2Hを意識する
- 箇条書きを利用するなど、1つの文章を長文にしない
- 曖昧な表現を避ける（察して系の文章は書かない）

## 3 言葉選びに意識を向ける（感情的になりそうなときは、特に注意する）

- 言葉のイメージを意識する（想定よりも厳しく伝わってしまう場合がある）
- 肯定的に言い換える習慣をつける
- 感謝の言葉を添える
- 文章の語尾を工夫する

## 4 見やすさ・回答のしやすさを工夫をする

- 相手の文章を引用するときは、引用が分かるようにする
- タイトルや番号をつけ、見やすく、指示しやすくする
- 質問や相談は、できるだけ、Yes or Noで回答できるように書く

## 5 リアクションルールを決めておく

- 確認のみの場合は、「いいね」で代用することを検討する
- メンションのルールを決めておく（例：メールのTO相当は文頭、CC相当は文末に）
- リアクションの絵文字を使う

## 6 後から情報検索しやすい工夫をする

- 重要であると思ったやり取りは保存機能を使う
- 検索しやすい言葉を使う
- （Microsoft Teamsの場合）チームやチャネルの運用ルールを決めておく

# 音声コミュニケーション 電話・通話の考え方

**音声コミュニケーション**とは、「電話」やTeamsの「通話」を使って、音声ベースで伝達、意思疎通を行う手法のことです。コミュニケーションが苦手という方の中に「チャットは苦手だけど、電話だったら大丈夫」と言われる方がいらっしゃいます。音声コミュニケーションの場合、言葉以外に、声のトーンや話し方といったノンバーバル情報が加味されるので、コミュニケーションの判断材料が増えます。

電話の特徴は、時間だけ合わせれば空間は離れていてもコミュニケーションができる点ですが、チャットと異なるのは、厳密な同時性が求められる点です。テキストコミュニケーションと異なり、相手とつながるまで、情報を伝えることができません。

## 電話の課題 〜相手のシゴトを中断させる〜

電話の場合、コミュニケーションの開始は、たいていの場合「連続する呼び出し音」、もしくは「バイブレーション」になります。

これは、「相手の集中力を途切れさせることによって電話に気づかせる」という強硬手段で、コミュニケーションが始まっていることになります。また、代表電話にかかってきた電話の呼び出し音が、フロア中に鳴り響く職場で働いている方もいらっしゃるかもしれません。

ある調査では、電話の呼び出し音などで集中力を強制的に分断されると、元の状態に戻るまでに最低でも15分かかる、という結果が発表されています。電話の呼び出し音を聞いたフロアの数十人がその状態になるのであれば、組織として相当な損失を生んでいるといってもよいでしょう。

## 電話の前に、チャットを利用する

電話で相手と直接話をしたいと思った場合、反射的にすぐ電話をかけるのではなく、まず、「会話をすることでより一層の効果が得られるか」を考え、「相手が話せる状態かどうか」をチャットで確認してから電話をするか、「○時までに直接話をしたい」とリクエストを出し、相手の都合のよい時間に電話をかけてもらうとよいでしょう。

**図4-20　相手の状況を確認する習慣**

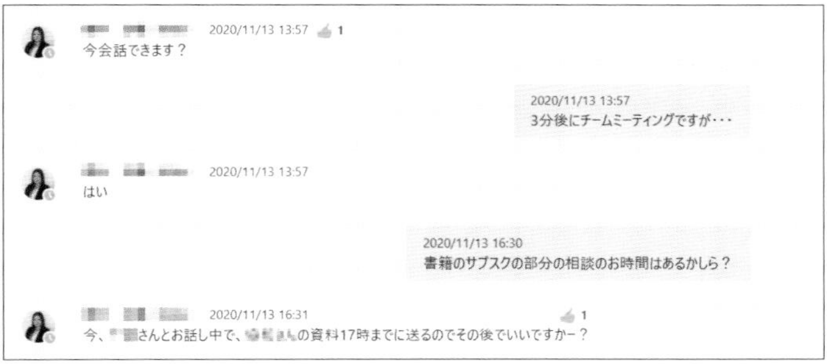

2020/11/13 13:57
1
今会話できます？
2020/11/13 13:57
3分後にチームミーティングですが・・・
2020/11/13 13:57
はい
2020/11/13 16:30
書籍のサブスクの部分の相談のお時間はあるかしら？
2020/11/13 16:31
1
今、 さんとお話し中で、 さんの資料17時までに送るのでその後でいいですかー？

### チャットから音声通話する

Teamsでは、チャットの途中から音声通話に切り替え可能です。音声通話に切り替える場合、画面右上の［音声通話］アイコンをクリックします。

**図4-21　音声通話を開始する**

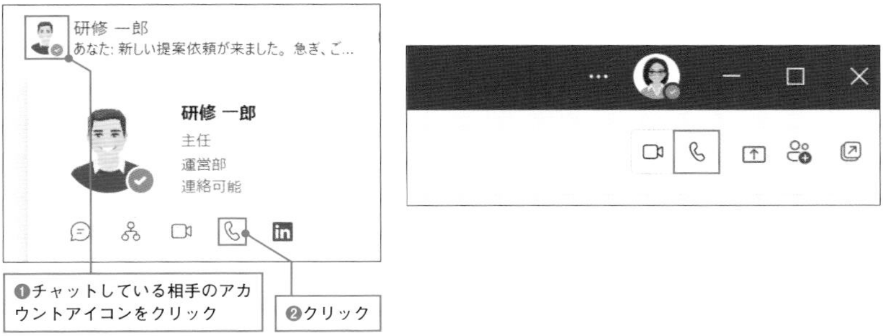

研修 一郎
あなた: 新しい提案依頼が来ました。急ぎ、ご…
研修 一郎
主任
運営部
連絡可能
❶チャットしている相手のアカウントアイコンをクリック
❷クリック

# ニューノーマル時代の働き方は「会議」を中心に組み立てる

**ニューノーマル時代の「働き方」は、「時間」と「場所」を調整する「働き方」から、「目的」と「効率」で手段を選ぶ時代です。**ハイブリットな「働き方」の成功の鍵は、「リアル集合型」「オンライン集合型」「ハイブリッド集合型」の会議形態を、目的に合わせて使い分けられるスキルにあります。

**ニューノーマル時代の「会議の実施形態」は３種類**
参加者全員が物理的な会議室に集合する**リアル集合型**
参加者全員が仮想空間の会議に集合する**オンライン集合型**
物理的な会議室と仮想空間の両方の参加者をつなぐ**ハイブリッド集合型**

物理的なオフィスに集合する「働き方」が主体の場合、相手の姿が見えるので、計画的な会議を設定しなくても、突発的な「ちょっといい？」「ちょっと集まって」で解決していた部分が多くあります。「対面」がよいと言われる理由の１つに、この突発的な「ちょっといい？」「ちょっと集まって」は、「対面」でしか実現できないと思い込んでいる点があります。
「会議」というと、かしこまったものだけを想定してしまうかもしれませんが、「ちょっといい？」「ちょっと集まって」も会議として、毎日の予定に組み込むことで代替可能です。事例を紹介しましょう。

①「KAN_Daily Well-Being」全社ミーティング（午前11：00～11：30）
②「チームミーティング」担当部門のミーティング（午後14：00～14：30）

①の目的は、社員全員が心身とも心地よい状態でいられるための会議であり、コミュニケーションスキルやITスキルを楽しみながら学べる時間にしています。②はチームの相談や雑談のための時間です。

**ハイブリッドな働き方では、計画的な「会議」を中心にシゴトを組み立てます。リアル集合型が必要な場合、バラバラと異なった曜日に分散させるのではなく、同じ曜日（例：2週おきに火曜日）に集中させる**ことで、オフィスに出社する回数を減らし、移動時間を最小限にできるので、時間を効率よく使うことができます。

## オンライン会議の成功の秘訣はルールづくり

| |
|---|
| Q1　あなたの組織は、会議のルールが明文化されていますか？<br>　　(はい・いいえ・分からない)<br>Q2　あなたは、会議の進め方をどうやって学びましたか？ |

この質問に対する回答は、「会議のルールは、明文化されていません」「明確に学んだ記憶はありません」が大多数です。中には、「会議術の書籍を買って学びました」という方もいらっしゃいますが、多くの場合、組織に属したり、組織に関わったりする中で、その組織の会議の進め方を実践知として学んでいきます。毎日のように会議が行われ、会議の経験数が増えているにも関わらず、なかなか、会議が効率化されないのは、なぜでしょう？

これは、ITリテラシーやデジタル競争力が低下した原因と同じで、**形だけ導入しようとする傾向があり、形の裏側にある「コンセプト」や「思想」の理解が不足している**からだと考えています。たとえば、形だけ導入して「会議は30分」とルールを決めても、そのルールが守られないのであれば、ルールを決めるために費やした時間がムダになり、形骸化したルールだけが残ることになります。繰り返しになりますが、「ルール」の目的はチームとジブンのシゴトのムダを減らすことにあるのです。

組織やチームの「ルール」を決める立場にない、組織やチームの「ルール」が決まるまでに時間がかかるといった場合でも、**相手とジブンで「ルール」を決めることもできます。**図4-22は、私が実践している「会議打診は会議設定で行う」ルールです。会議の打診、調整をメールやチャットで行うよりも時間を削減でき、相手のシゴトもジブンのシゴトも減らすことができます。

図4-22「会議の打診不要」ルール

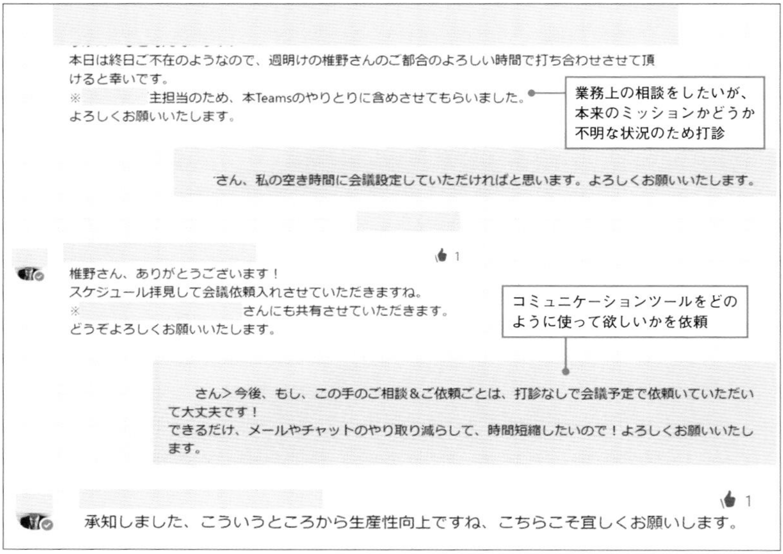

本日は終日ご不在のようなので、週明けの椎野さんのご都合のよろしい時間で打ち合わせさせて頂けると幸いです。
※　主担当のため、本Teamsのやりとりに含めさせてもらいました。
よろしくお願いいたします。
業務上の相談をしたいが、本来のミッションかどうか不明な状況のため打診
さん、私の空き時間に会議設定していただければと思います。よろしくお願いいたします。
1
椎野さん、ありがとうございます！
スケジュール拝見して会議依頼入れさせていただきますね。
※　さんにも共有させていただきます。
どうぞよろしくお願いいたします。
コミュニケーションツールをどのように使って欲しいかを依頼
さん＞今後、もし、この手のご相談&ご依頼ごとは、打診なしで会議予定で依頼いていただいて大丈夫です！
できるだけ、メールやチャットのやり取り減らして、時間短縮したいので！よろしくお願いいたします。
1
承知しました、こういうところから生産性向上ですね、こちらこそ宜しくお願いします。

このルールについて、「打診せずにいきなり会議設定するのは、失礼だ」と感じる方がいるかもしれません。それは、形に意識が向き、本質を見落としている可能性があります。会議打診をメールやチャットで行う代わりに、会議設定で行っているだけで、相手に打診をしていない訳ではないからです。

大事なことは、チームとジブンの「働き方」を、主観ではなく、データに基づき、客観的に判断して改善することです。なお、ジブンの「働き方」のデータ分析については、第6章のVivaインサイトで紹介します。

## 組織の会議を定義する

あなたの組織では、「会議」をどのように定義していますか？　物理的な会議室やオンライン会議に集まって話をしたら会議でしょうか？　あらためて、会議の定義と言われると、どこまでが会議で、どこからが会議でないか、意外と曖昧であることが分かります。

会議とは、会合して評議すること。何かを決めるため集まって話し合うこと。その会合。(出典:広辞苑)

この辞書の定義に沿うと、相談が存在しない、報告のために集まっている状態は、会議ではないことになります。本書では、「目的」と「成果物(アウトプット)」が定義され、集まって話し合った結果、成果物が存在するものを「会議」と定義します。

たとえば、「目的」は報告による情報共有、「成果物」は報告内容に対する「承認者の承認」と「議事録」の場合、報告のために集まっていることは、会議になります。一方、「目的」は報告による情報共有であっても、会議が終わった後に成果物が存在しないものは、会議ではないということです。

会議は、目的によって、さまざまな種類の会議があります。あなたの組織には、どのような種類の会議が存在しますか? まずは組織やチームの会議を「目的」で分類し、会議の種類を決めましょう。会議の種類は、いろいろな分類の仕方がありますが、本書では、図4-23の4つに分類します。

**図4-23 会議の種類**

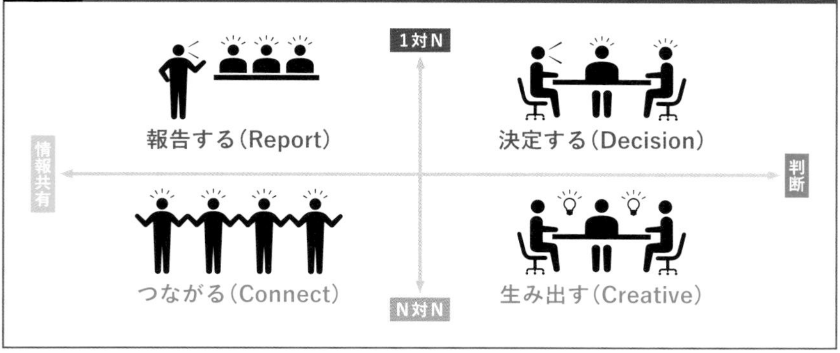

## 会議を設計する

図4-24　会議の準備の5 Step

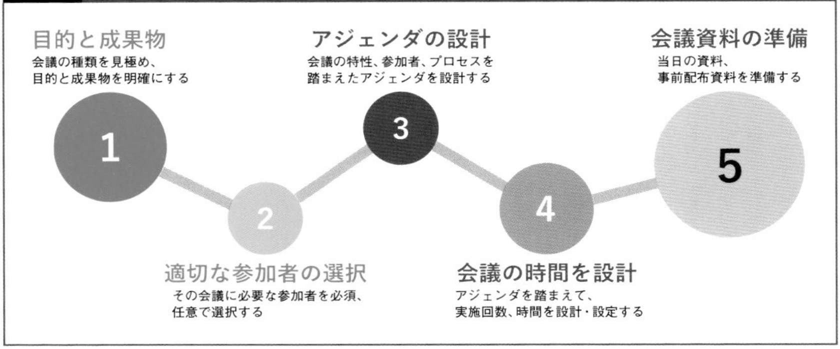
目的と成果物
会議の種類を見極め、
目的と成果物を明確にする
1
適切な参加者の選択
その会議に必要な参加者を必須、
任意で選択する
2
アジェンダの設計
会議の特性、参加者、プロセスを
踏まえたアジェンダを設計する
3
会議の時間を設計
アジェンダを踏まえて、
実施回数、時間を設計・設定する
4
会議資料の準備
当日の資料、
事前配布資料を準備する
5

### ①会議の「目的」と「成果物」を定義する

**会議の種類にあわせて、「目的」と「成果物」を定義**します。会議設定する際、会議の「目的」と「成果物」を決めることは重要です。「成果物」が存在しないのであれば、**会議体として会議を設定する必要があるかどうかを検討する**必要があります。

会議の「目的」と「成果物」を定義する際、**目的の達成指標を数値化**します。たとえば、報告する会議であれば、報告内容（情報共有）が５つあって、その５つの承認をとるといった具合です。

目的の達成指標を数値化することで、承認が不要な報告は、会議でなく、掲示板やTeamsのアナウンス機能、メールなど、別の方法で情報共有すればよいという判断にもつながります。

### ②会議設定に、会議参加者の役割を記述する

会議参加者の役割を明確にすることで、本当に会議に必要なヒトだけが参加する会議になります。会議のアジェンダに参加者の役割が記載されていない場合、主催者の意図と招集された参加者の認識が異なる場合があります。このような場合、参加者として最適でなかったり、主催者の意図と異なる事前準備が行われたり、ムダが発生する場合があります。

**表4-2　会議の目的と成果物に関連した参加者を選択する**

| 種類 | あて先 | 役割 | 部門と氏名 | |
|---|---|---|---|---|
| 必須参加者 | To | 情報を発表する人 | 第1営業部 | 山田優子　鈴木一郎 |
| | To | | 第2営業部 | 斉藤健太 |
| | To | 情報の発表を聴いて判断する人 | 営業本部 | 青山裕二　林美香子 |
| | To | 判断はしないが、情報共有しておくべき人 | マーケティング本部 | 田口貴史 |
| | To | 成果物を作成するために作業を担当する人 | 第1営業部 | 川口翔太 |
| 任意参加者 | Cc | 判断はしないが、情報共有しておいたほうがよいと思われる人 | 製品企画部 | 秋山景子 |
| | | | 経営企画部 | 牧野亮 |



## Teams会議に共同開催者を設定する

Teams会議は、会議の設定者が開催者（主催者）となり、主催者のみ使うことができる機能があります。会議の開催者が主催者1人だけの場合、「主催者がやむをえない状況で会議に出られない」「会議中に一時的に離席したい」といったような場合、対応することができません。このような場合、共同開催者を設定することで、会議運用の自由度が上がり、よりスムーズな会議進行が可能になります。

共同開催者の設定は、「会議のオプション」で行います。主催者（あるいはすでに設定された共同開催者）が「会議のオプション」の「共同開催者を選択」で、共同開催者にする参加者を設定します。共同開催者として設定できるのは、以下の条件にすべて合致するアカウントのみとなります。

**共同主催者に設定できるアカウントの条件**

- 会議の参加者として招待済み
- 主催者と同じ組織内のユーザー、または、同じ組織内のゲストアカウントを持つユーザー

共同開催者の追加・変更は、会議設定後（会議開催前）から会議開催中まで、いつでも設定することができます。

共同開催者は、表4-3の機能を使用することができます。ただし、共同開催者をブレークアウトルームマネージャーにするには、最初にブレークアウト

ルームマネージャーに割り当てる（後述）必要があります。

**図4-25　Teams会議に共同開催者を設定する**

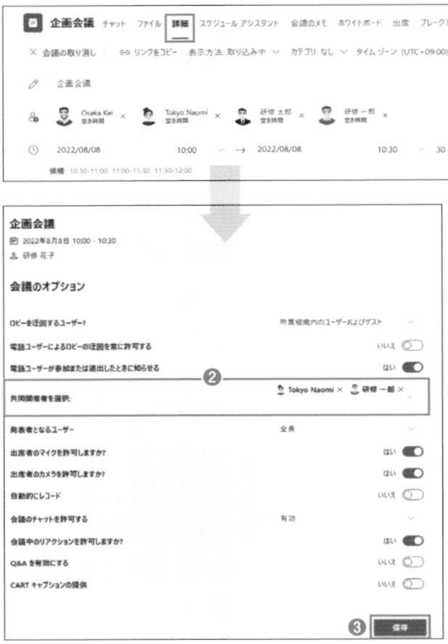


❶会議の［詳細］タブから［会議のオプション］をクリック。［会議のオプション］が表示されていない場合は、［…］をクリックして、メニューから［会議のオプション］をクリック
❷「共同開催者を選択」の「参加者を検索」ボックスから共同開催者に設定する参加者を選択する。複数名指定する場合は、同様に共同開催者に設定する参加者を選択する
❸保存をクリック。設定が保存されると「完了しました！」と表示される

**表4-3　共同開催者が利用可能な機能**

| 機能 | 開催者（会議の主催者） | 共同開催者 |
|---|---|---|
| 会議オプションにアクセスして変更する | ○ | ○ |
| ブレークアウトルームマネージャーになる | ○ | ○ |
| ロビーをバイパスする | ○ | ○ |
| 会議中にロビーのユーザーを許可する | ○ | ○ |
| 会議をロックする | ○ | ○ |
| コンテンツを表示する | ○ | ○ |
| 別の参加者の会議ロールを変更する | ○ | ○ |
| すべての会議を終了する | ○ | ○ |
| 会議の記録を管理する | ○ | × |
| 会議の開催者の役割を削除または変更する | ○ | × |

### ③会議の「アジェンダ」を定義する

モノゴトを計画的に進めるためには、プロセスが重要です。**組織の会議の種類に合わせて、会議の標準プロセスを定義**します。会議の「種類」と「標準プロセス」が定義されることで、会議の流れが標準化され、会議参加者の認識が揃うようになるので、効率のよい会議を開催できるようになります。

**図4-26** 「成果物」からプロセスと会議の時間を設計する

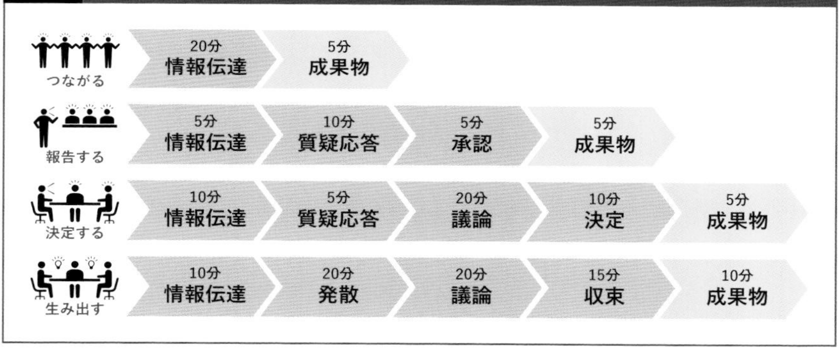


## ブレークアウトルームマネージャーを設定する

会議中にブレークアウトルームを予定している場合、会議の開催者（主催者）以外もブレークアウトルームの管理ができるように、ブレークアウトルームマネージャーを設定することができます。

ブレークアウトルームの管理パネルから権限を取得すると、任命された発表者が、管理者や会議の開催者としてブレークアウトルームの操作を行ったり、管理者としてブレークアウトルームに参加したりできるようになります。ブレークアウトルームマネージャーに任命できるのは、「発表者」として参加するユーザーに限られます。また、複数のユーザーをブレークアウトルームマネージャーに設定できますが、会議のブレークアウトルームを管理できるのは、一度に1人だけになります。

**図4-27　ブレークアウトルームマネージャーを設定する**

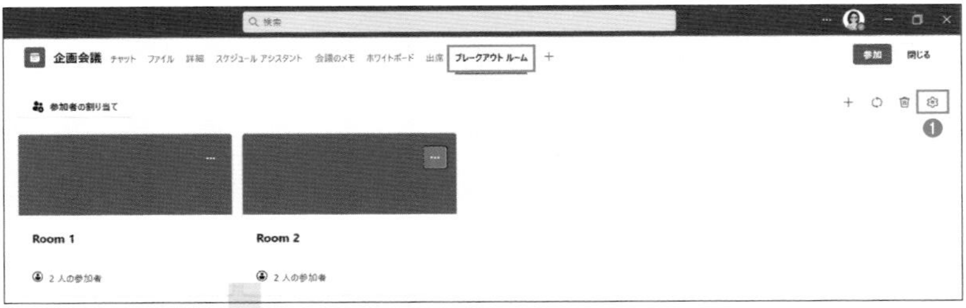


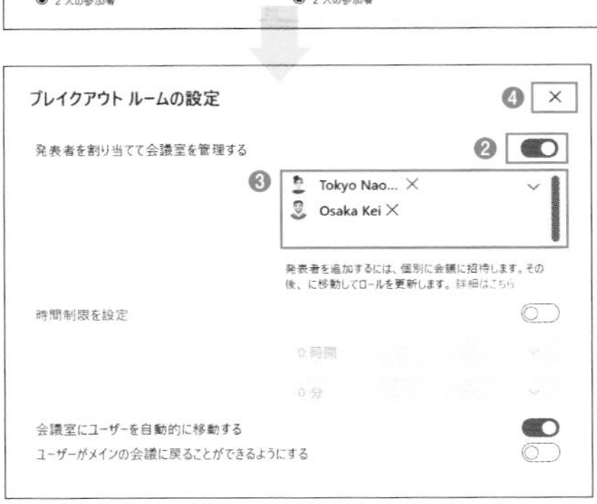


❶［ブレークアウトルーム］タブをクリックし、［会議室の設定］アイコンをクリック
❷「発表者を割り当てて会議室を管理する」を有効にする
❸ブレークアウトルームマネージャーに指定する参加者（「発表者」）を選択する
❹［×］をクリックし、設定を終了する

## ④会議の「時間」を設計する

**会議の標準時間を設計**します。最初は、設計したとおりの時間に収まらないかもしれません。まずは、**現在の会議時間を、10分〜15分短くして開催**します。60分で実施している場合は45分で、30分で設計している場合は20分で実施するために、どうすればできるか工夫をするところから始めましょう。

**図4-28 会議時間の価値**

参加者の人数 × 時間 = その会議の価値

**10人 × 60分 = 600分**

遅刻して開始が遅れると… **10人 × 5分 = 50分**

- 会議のプロセスを踏まえて、アジェンダ、時間の設計をする
- オンライン会議続きだと移動時間もなく、画面前拘束が続きがち。可能な限り、50分、55分で終了できるように配慮する
- 早く終われることに罪悪感を持たない。むしろ、歓迎する雰囲気を作る



### 【Tips】会議時間＝参加者人数×会議時間で考える

「もしあなたが、会議に５分遅刻した場合、ムダになった時間は何分ですか？」と質問をすると、多くの方は「５分です」と回答します。

物理的な時間は５分かもしれませんが、仮に会議参加者10人が５分間待ったと考えると、10人×５分なので、組織としては、50分の時間をムダにしたことになります。遅刻者を待たなかったとしても、５分間の話の概略を説明したり、概略を説明しなかったとしても、最初の５分間を聴いていなかったために、的外れな質問をしてしまったりするかもしれません。

会議時間を考えるとき、常に、参加者人数×会議時間の時間を費やしている意識をもち、行動することが大切です。

### 遅刻厳禁！「会議のロック」を設定する

遅刻しないことが大切と分かっていても、なかなか行動を変えられないヒトが多い組織もあるかもしれません。

Teams会議には、開催者が会議をロックして、会議の途中参加を禁止する機能があります。ロックされた会議に参加しようとすると、会議がロックされているため参加できないというメッセージがデバイスに表示されます。

この機能を利用すれば、遅刻者によって会議進行の支障が出ることを防止できます。ただし、この機能を利用する場合は、混乱を避けるために、あらかじめ会議のグランドルールとして周知徹底してから使うようにしましょう。

**図4-29　開催者（主催者）が「会議をロック」する**

❶［参加者］をクリックし、参加者一覧の右上の［…］から、［会議をロック］をクリック
❷「会議をロックしますか？」の画面で、［ロック］をクリック
❸ 会議ロック後に、会議参加しようとするユーザーには、「この会議はロックされています。」というメッセージが表示される
❹ ロックを解除するには、「参加者一覧」の右上の［…］から、［会議のロックを解除］をクリック。「会議のロックを解除」の画面で、［ロック解除］をクリック
❺ロック解除後であれば、［再試行］をクリックして会議に参加できる

### ⑤会議資料の準備をする

- 会議資料の作成ルールを決める

会議資料はPowerPointやWordで作成すると思いがちですが、会議資料と議事録をまとめて管理したいのであれば、OneNoteを使う方法もあります。また、計算が必要な数値資料は、Excelで作られる方が多いと思いますが、見せる数値の場合、PowerBIでグラフ化することも検討します。

「資料の最大ページ数」「ファイルの命名規則」など、会議の効率に影響することを、事前にルールとして決めておくことが重要です。

- 会議資料の事前共有ルールを決める

会議資料の事前共有の目的は、あらかじめ参加者が資料を読み、疑問や質問を考えてくることです。資料の作成者がギリギリの時間に資料を作成していた場合、参加者は資料を事前に読むことができません。一方、資料の作成者がルールを守って、期日どおり資料を作成したとしても、参加者が事前に読んでこなければ、事前共有のルールは、ルールとして意味を持ちません。

もし、参加者が事前に資料を読まないのであれば、会議冒頭に資料を読み込む時間を加味して、会議時間を設計する方法があります。この方法を採用していることで有名なのが、アマゾンの会議です。1ページの資料であれば5分、6ページの資料なら15分程度と、冒頭に資料を読み込む時間があり、全員が読み終わってから、会議をスタートさせています。

大事なことは、「事前共有なのか」「会議の冒頭に読むのか」ではなく、**会議の参加者が、同じ会議資料を読み、前提条件を揃えた上で、会議を始める**ということです。

図4-30 会議資料の作成・共有ルール

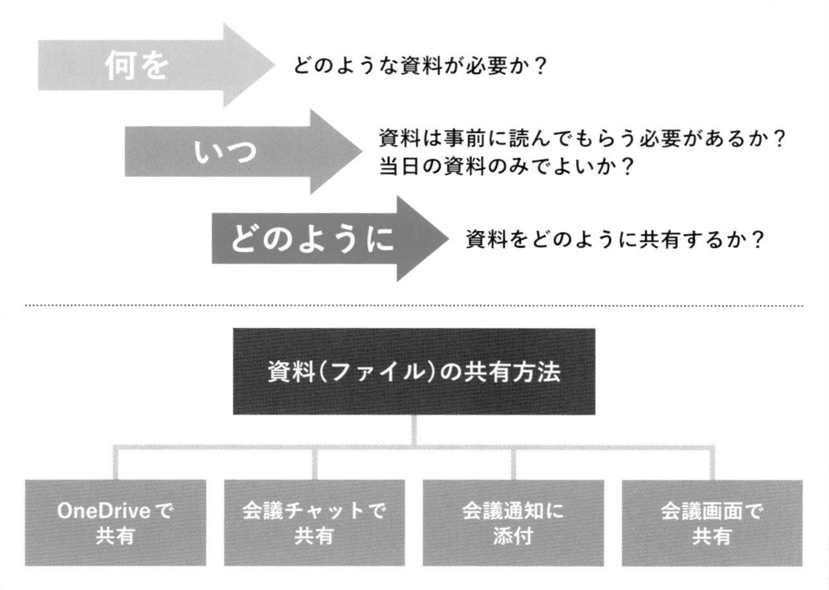

# オンライン会議の成否はファシリテーターで決まる

**ファシリテーション**とは、会議や研修など、さまざまな活動の場において、良質な結果が得られるように活動のプロセスをサポートしていくことです。それを実際に担う役割のヒトをファシリテーターと呼びます。

対面の会議では、「場の雰囲気」や「相手の反応」を見ることができたので、会議の参加者同士が互いに察することで、成り立っている部分がありました。たとえば、「誰か意見はありますか？」という問いに対して、誰も回答しないと、無言のなんとも言えない空気が流れます。しばらくすると、その空気を察して、誰かが発言をするといった具合です。

ところが、オンライン会議では、「誰か意見はありますか？」と訊いても、なかなか意見が出てこないことがあります。それは、ノンバーバル情報が伝わりづらいので、無言のなんとも言えない空気を対面のときより感じづらいからです。

そのような場合はブレークアウトルームで少人数で話し合った後、チームの意見として発表してもらうなど、状況に合わせた場づくりが必要です。

つまり、対面のとき以上にファシリテーターの力量が問われ、ファシリテーターの力量で会議の成否が決まると言っても過言ではありません。

発表者の伝えていることが分かりづらい、場の雰囲気が醸成されていないなど、会議で発生するさまざまな問題をさりげなくサポートし、即座に問題解決できるスキルが必要です。

## アイスブレイクが大事な理由

オンラインの場合、ノンバーバル情報が伝わりづらいので、会議の「はじまり」は重要です。対面の場合は、場があたたまっていないと感じたら、臨機応変に、適切な「誰か」を指名したりしながら、場をあたためていくこと

**図4-31　ファシリテーションのポイント**

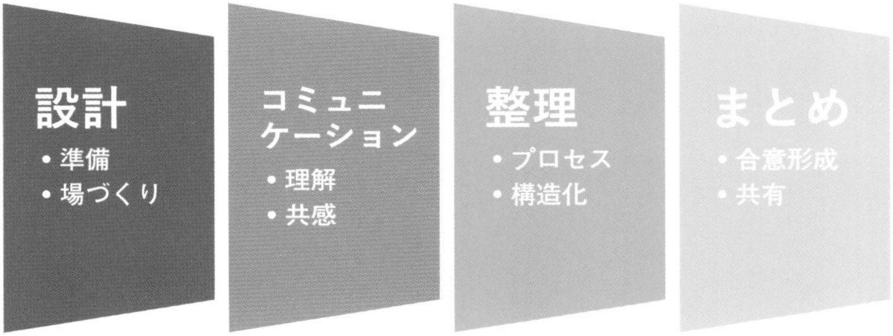


が可能です。ところが、オンラインの場合、この適切な「誰か」が分かりづらいので、会議の「はじまり」のアイスブレイクで、場をあたためられるかどうかがポイントです。

ファシリテーターの役割を担う方で、「アイスブレイクが苦手です」と言われる方がいらっしゃるのですが、これは、事前準備なく、その場でアイスブレイクの話題を考えているからです。苦手であればなおのこと、事前準備が必要です。

## コミュニケーションスキルが高いヒトの習慣

事前準備が必要といっても、会議のアイスブレイク専用の「ネタ」や「話題」を準備してください、ということではありません。コミュニケーション能力の高い人は、いつでも「ネタ」「話題」を準備しています。「初めましての方」から「長年お付き合いのある方」まで、いつ、どのような相手とでも、お互いが楽しく会話できるように、相手が安心して話せるように、普段から話題の引き出しを増やしているのです。

事例として、エバンジェリストとして著名な西脇資哲氏の例と、放送作家・戦略PRコンサルタントとして活躍されている野呂エイシロウ氏の例を、図4-32で紹介します。

**図4-32　１次情報・２次情報の習慣**

**１次情報を収集する習慣**

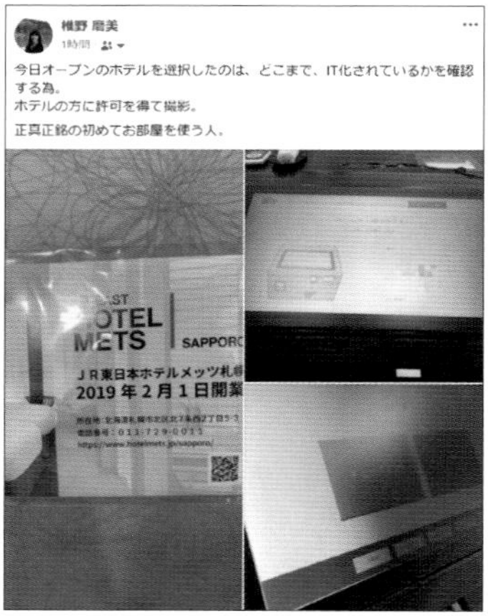
椎野 磨美
今日オープンのホテルを選択したのは、どこまで、IT化されているかを確認する為。
ホテルの方に許可を得て撮影。
正真正銘の初めてお部屋を使う人。
METS

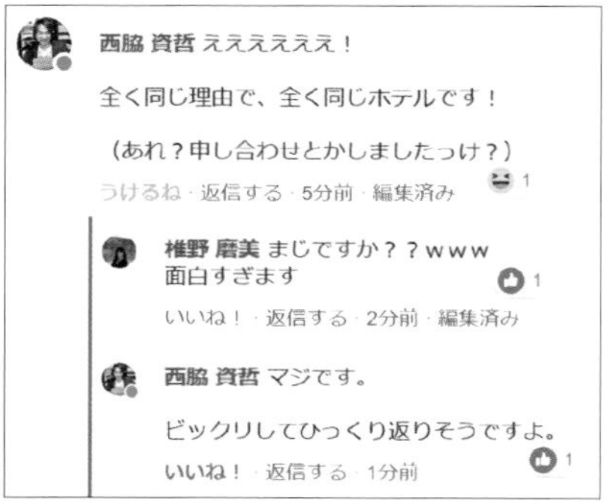
西脇 資哲 えええええええ！
全く同じ理由で、全く同じホテルです！
（あれ？申し合わせとかしましたっけ？）
うけるね · 返信する · 5分前 · 編集済み
椎野 磨美 まじですか？？www
面白すぎます
いいね！ · 返信する · 2分前 · 編集済み
西脇 資哲 マジです。
ビックリしてひっくり返りそうですよ。
いいね！ · 返信する · 1分前

**この後、F2Fでお互いの気づきポイントを共有**

**２次情報として信頼のおける人の１次情報をストックする習慣**

6:19
1.29 tue
「感情オフ」で無表情って!?
大坂なおみの第3セット
“感情マネジメント”に詳しい
椎野磨美さん

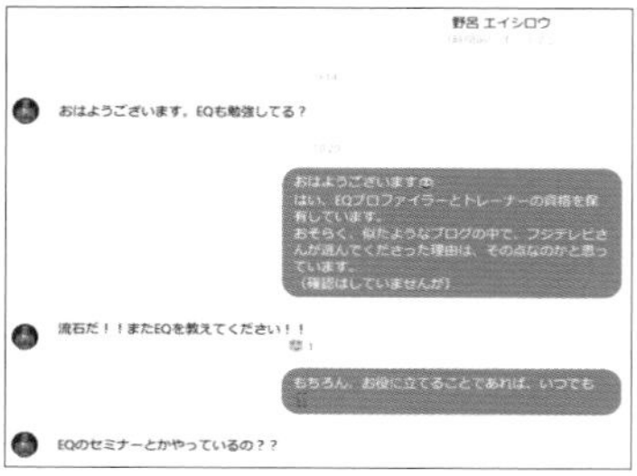
野呂 エイシロウ
おはようございます。EQも勉強してる？
おはようございます
はい、EQプロファイラーとトレーナーの資格を保有しています。
おそらく、似たようなブログの中で、フジテレビさんが選んでくださった理由は、その点なのかと思っています。
（確認はしていませんが）
流石だ！！またEQを教えてください！！
もちろん、お役に立てることであれば、いつでも
EQのセミナーとかやっているの？？

「プレゼンテーションは、事前準備をしてから臨みます」という方が多いのですが、会議のファシリテーションや普段の会話の事前準備は、どうですか？　プレゼンテーションもファシリテーションも普段の会話も、すべてコミュニケーションです。事前準備がどれだけできているかが大切です。いつ、どのようなことが「ネタ」「話題」として役立つか分かりません。どのような体験も１次情報は貴重です。３年前の体験が、書籍の素材として活用できているのですから……。

日ごろから情報を集め、記録として残しておけば、いつでも話せる「ネタ」「話題」が自然に増えていきます。１日１個でも、１年たてば365個です。

## 全員参加！　一体感を醸成するための工夫

「リアル集合型」「オンライン集合型」「ハイブリッド集合型」といった会議の実施形態に関わらず、全員参加型の有意義な会議にするためには、ファシリテーターと参加者双方のスキルが必要です。

「オンライン集合型」や「ハイブリッド型」の会議に慣れてくると、ライブリアクションを使ったり、チャットにコメントを書いたり、「リアル集合型」より気持ちや意見を伝えやすいという方も増えてきました。また、ファシリテーターをする際、「発表者への質問や意見はチャットに書いてください」と依頼する場合も多いと思います。

Teams会議は、会議のチャットウィンドウが閉じられている場合でも、チャットアイコンの上に赤丸がつくことで、チャットが書き込まれ、未読のチャットが存在することが分かるようになっています。

図4-33　未読のチャットが存在することを示すマーク

### 「チャットバブル」でチャットを見やすくする

Teams会議は、会議中に送信したチャットをすべての会議参加者の画面に数秒間表示することができます。チャットが書き込まれたことに気づきやすく、チャットウィンドウを開かなくても内容を確認できるので、発表者が即時対応することも可能です。

図4-34　チャットバブル

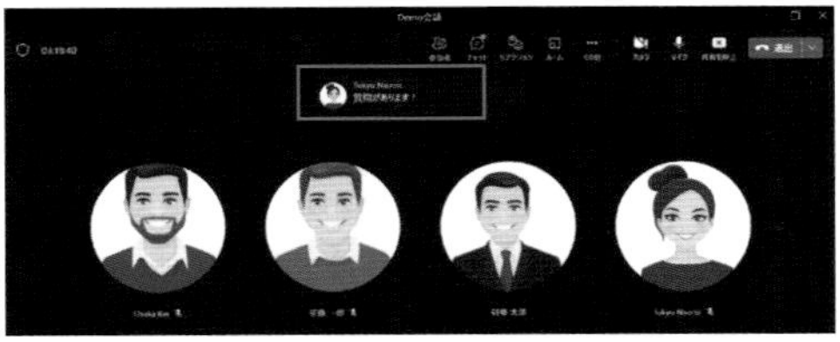

このチャットバブル機能は既定で有効に設定されていますが、この機能を無効にしたい場合は、[…]から[チャットバブルを表示しない]をクリックします。

## 【Tips】チャットバブルで、会議が始まる前の「アイスブレイク」

会議が始まる前から、参加者にチャットを促すことで、会議の場をあたためることができます。音声と異なり、複数のコミュニケーションを並行して行えるのは、チャットの利点なので、場づくりに役立てていくとよいでしょう。

**図4-35 チャットバブルでアイスブレイク**

## 「カメラからのコンテンツ」を共有する

「ハイブリッド型」の会議で見られる光景として、物理的な会議室のホワイトボードに書いた図や文字、物理的な紙の書類を、オンラインのメンバーに共有したいといった場面があります。

会議室にいるメンバーだけが見えていて、オンラインのメンバーに見えていない状況では、一体感を醸成することは難しくなります。物理的なホワイトボードや紙のドキュメントなどのコンテンツをキャプチャして共有したい場合は、[カメラからのコンテンツ]を選択し、対象物をスキャンして共有しましょう。

**図4-36 カメラからのコンテンツ**

## 意見や感情がぶつかったときの対処法

「対面」の場合、言葉以外のノンバーバル情報が相手に直接伝わります。ノンバーバル情報が伝わりやすいということは、不機嫌な感情をマネジメントできないヒトがいた場合、その感情が「オンライン」よりも周りに広がりやすいといった逆効果になる場合もあるということです。

世界経済フォーラムでは、ビジネスパーソンに必要なスキルの1つとして「感情知性（EI：Emotional Intelligence）（EQ：Emotional Intelligence Quotient）」をあげています。

シゴトにおいても、プライベートにおいても、「感情」に振り回されると、よい結果にならないことは、多くの方がご存知のことだと思います。大事な場面ほど、感情に振り回されず、冷静に対応する必要があります。試合の難しい局面において冷静にプレーするため、プロスポーツ選手がトレーナーをつけてEQをトレーニングしているケースが多いのはそのためです。

EQは、学術的に研究され、トレーニングすることで、感情に振り回されず、冷静な対応ができるようになることがわかっています。EQトレーニングを導入している企業や組織が増えている理由は、EQを磨くことで、「不機嫌」や「不快」な時間を軽減できるからです。

**EQを磨くための4Step**

- Step1：自分の感情変化に気づくスキル
  How to：感情日記をつける（心地よい言動、不快な言動をメモする）
- Step2：思考の促進に感情を利用するスキル
  How to：不快な言動を「肯定的意図」と「否定的意図」の両方で言語化する
- Step3：感情を理解するスキル（感情の由来や行く末を理解するスキル）
  How to：自分の期待値と相手の認識のギャップを質問する習慣を身につける
- Step4：目的を果たすために感情を調整するスキル
  How to：不快を平常に変えられる、自分の行動を探し、行動を決めておくコミュニケーションスキルにEQが必要とされるのは、感情に振り回されない、ジブンの感情をいったん横におけるスキルが必要だからです。双方が、相手の「感情」や「意図」を理解し、「相手には、相手の事情がある」前提で、コミュニケーションできるスキルが必要なのです。

## 会議終了時のルール

ファシリテーターの役割の1つに、会議を予定どおりに進ませ、時間内に終了させることがあります。会議のまとめ役として、終了時に以下のことを忘れずに行うことが大切です。

- 会議は予定時間より早く終わる（目標5分）
- 会議で決まったこと、決まらなかったことを確認する
- 会議が終わった瞬間から行動に移れるかを確認する（NextActionの確認）
- 次回の会議メンバーの見直し（確認）をする
- 議事録は全員が共有できる場所にあることを確認する

### ミーティングリキャップ（振り返り・要点のまとめ）

これまで個別に説明をしてきましたが、ミーティングリキャップは、会議に参加した人が後で内容を振り返ったり、会議に不参加、または遅れて参加したメンバーが内容を確認したりするのに役立つ機能です。

ミーティングリキャップには、「レコーディング」「トランスクリプト」「メモ（会議のメモ）」「出席（出席者レポート）」などの機能が備わっており、会議の［詳細］タブで表示することができます。

図4-37　ミーティングリキャップ

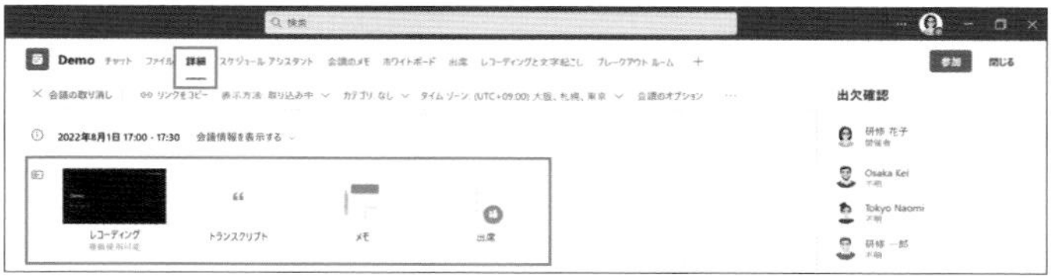

# 第5章

# チームのシゴトを「見える化」する

# Teamsの「チーム」と「チャネル」の管理

1章の「Teamsのコンセプトを理解する」で説明したとおり、Teamsの特徴は、「チーム」と「チャネル」を使って、「メンバー」と「情報」を整理することです。必要な情報にアクセスする際、検索機能を使わず情報に辿り着けるのであれば、その方が楽に効率よく進められます。Teamsの導入時だけでなく、定期的に「チーム」と「チャネル」を整理することで、情報の管理や検索を効率化し、心地よく働ける環境を維持することができます。そこで、**運用ルールとして、①Teamsの管理権限の委譲、②構造を整理するタイミング（例：3か月に1回）を決めておくことが重要**です。

## チームの作成とメンバーの管理

まず、「チーム」の管理を行う操作を解説します。チームの「メンバー」ではなく、「所有者」でなければできない操作があるので注意してください。

### チームを作成する

新しいチームの作成は、次ページの図5-1の手順で行います。この際、既存のチームをテンプレートとして作成することもできます。既存のチームをテンプレートにすると、チームの設定、アプリ、メンバーなどを引き継ぐことができるので、効率よくチームを作成可能です。

チームには、「プライベート」と「パブリック」の2種類があります。「プライベート」は、チームの所有者が承認したメンバーのみがチームに参加することができ、「パブリック」は、組織内の誰でも参加することができます。

チーム名は後から変更も可能ですが、できるだけ、チーム作成時にチームの目的がわかりやすく、また、ユーザーの検索にヒットしやすい名前をつけるようにしましょう。

毎年実施される「インターンシップ」や「新入社員研修」のように、年度別にチームは別にしたいけれど、チャネル構成やアプリなどは同じ設定を利用したい場合、「グループまたはチームから」でチームを作成すると、設定をコピーして新しいチームを作成できるので便利です。

**図5-1　チームを作成する**

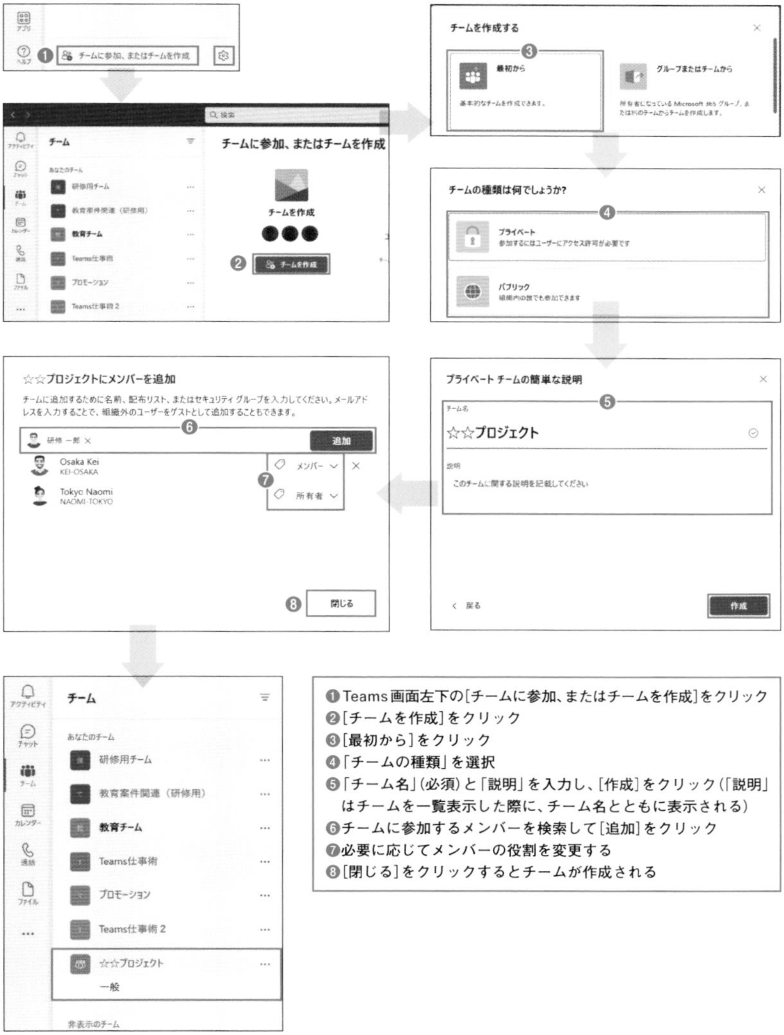


❶Teams画面左下の［チームに参加、またはチームを作成］をクリック
❷［チームを作成］をクリック
❸［最初から］をクリック
❹「チームの種類」を選択
❺「チーム名」（必須）と「説明」を入力し、［作成］をクリック（「説明」はチームを一覧表示した際に、チーム名とともに表示される）
❻チームに参加するメンバーを検索して［追加］をクリック
❼必要に応じてメンバーの役割を変更する
❽［閉じる］をクリックするとチームが作成される

## 【Tips】チームはセキュリティの境界線

チーム内のチャット（「チャネル」の投稿）やファイルは、そのチームに属するメンバーだけが見ることができます。業務上、そのチームだけで共有したい情報（例：人事情報、新規企画情報など）を扱う場合は「プライベート」、組織全体でオープンなコミュニケーション、広範囲な情報共有を効率よく行いたい場合は「パブリック」と考えるとよいでしょう。また、チームの種類は後から変更ができるので、「プライベート」で作成し、後から「パブリック」に変更することも、また、その逆も可能です。後からチームに参加したメンバーも、それまでに共有されたすべての情報を閲覧・検索することができるので、情報再共有の手間を省くことができます。

**表5-1　プライベートとパブリックの使い分け**

| | プライベート | パブリック |
|---|---|---|
| メンバーの参加可否 | チーム所有者の承認が必要 | 組織内の誰でも参加できる |
| （例） | ・組織の部門単位<br>-人事部<br>-開発部<br>-営業部<br>・プロジェクト単位<br>-○○社向けDXプロジェクト<br>-☆☆社向け新入社員研修 | ・組織横断で公開型のプロジェクト<br>-新社屋移転プロジェクト<br>-社内改善プロジェクト<br>・組織内で情報共有を行う<br>-社内ヘルプデスク |

## 管理者がチームを管理する・メンバーを追加する

図5-1で説明したとおり、チーム作成時にチームメンバーを追加することもできますが、後から追加・削除することもできます。また、チームメンバーの役割には、「所有者」と「メンバー」の2種類があり、この役割も必要に応じて変更することができます。

チームの「所有者」は、チームに関する、すべての管理操作を行えます。

**図5-2　チームを管理する・メンバーを追加する**

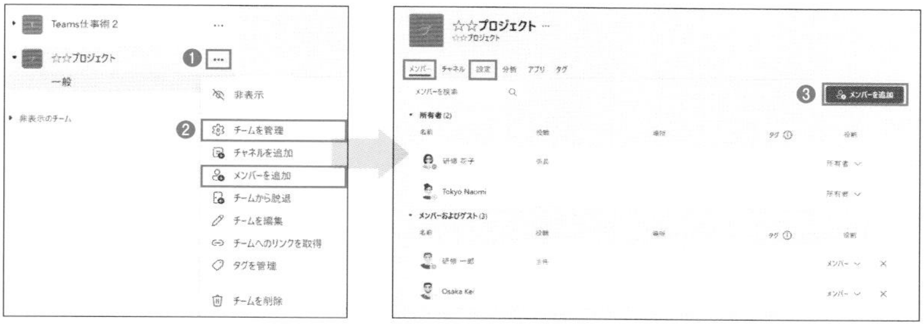


❶チームの[…]をクリック　❷[チームを管理]をクリックすると、チームの管理画面になる　❸[メンバー]タブの[メンバーを追加]をクリックすれば、図5-1の⑥〜⑧の手順でメンバーを追加できる(左の画面キャプチャの[メンバーを追加]からも可能)
※[設定]タブではチームメンバーの権限のカスタマイズを行うことができる

## メンバーの役割を変更する

チームメンバーの役割は、「所有者」または「メンバー」のどちらかになります。役割はメンバーを追加する際に選択できますが、後からでも変更が可能です。図5-2のチームの管理画面の［メンバー］タブページから、役割を変更するユーザーの「役割」の［∨］をクリックし、所有者またはメンバーを選択します。

## 【Tips】権限移譲で業務を最適化する！

既定では、チームの作成者がチームの「所有者」に、追加されるユーザーは「メンバー」なります。IT部門などの特定部門だけがチームを作成できるように制限したり、申請制にしたりにしている組織もありますが、適切な権限移譲によって業務の最適化を検討することをおススメしています。「各チームに複数の所有者を設定する」「探しやすい、わかりやすい名前とアイコンを設定する」など、心地よく働くための運用ルールのもと、チームを自由に作成し、自律的に管理・運用できることが理想です。

**表5-2　チームの所有者・メンバー・ゲストができること**

| | チームの所有者 | チームのメンバー | ゲスト |
|---|---|---|---|
| チームの作成 | ○ | ○ | × |
| メンバーとゲストの追加または削除 | ○ | × | × |
| パブリックチームを検索し参加する | ○ | ○ | × |
| チームの編集 | ○ | × | × |
| チームの削除 | ○ | × | × |
| チームから脱退 | ○ | ○ | ○ |
| チャネルの作成 | ○ | ○＊[※1] | ×＊ |
| チャネルの編集 | ○ | ○＊ | ×＊ |
| チャットのファイルを共有 | ○ | ○ | × |
| チャネルの削除 | ○ | ○＊ | ×＊ |
| アプリ（タブ、ボット、コネクタなど）の追加 | ○ | ○＊ | × |

## メンバーを削除する

メンバーの削除もチームの管理画面から行います。［メンバー］タブのメンバーの一覧から、削除するチームメンバーの名前の右端に表示された［×］をクリックし、ユーザーを削除します（図5-2参照）。ただし、所有者のままメンバーを削除することはできないので、その場合は先に役割を変更する必要があります。また所有者が1名の場合は、先に他のメンバーを所有者に変更しておく必要があります。

## チームの管理画面で既定の設定を変更する

チームの管理画面の［設定］タブでは、他にも次の設定を行うことが可能です。

| | |
|---|---|
| チームの画像 | チーム名の前に表示されるアイコンの画像を設定 |
| メンバーアクセス許可 | チームメンバーの権限の設定を変更 |
| ゲストのアクセス許可 | ゲストの権限の設定を変更 |
| @メンション | メンションの際に@チーム名、@チャネル名の利用を許可 |
| チームコード | メンバーがチームに参加する際に使用するコードを設定 |
| お楽しみツール | 絵文字、ミーム、GIF、ステッカーの利用を禁止（既定では許可） |
| タグ | タグを管理できるユーザーを指定 |

※1：所有者は、チームの管理画面の［設定］タブで、＊のついた項目について、メンバーやゲストの既定の権限を変更できる。

## 【Tips】チームの画像を設定してチームを探しやすくする

参加しているチームが増えると、目的のチームを探しづらくなるので、チームを見つけやすくする工夫が必要です。チームの表示／非表示の切り替え、掲載順の並べ替えなどで、ユーザー自身で使いやすい環境に変更できますが、チーム画像はチームの所有者のみ設定可能です。チームを探しやすくなるよう、チームをイメージする画像をアイコンに設定することをおススメします。

## チームコードを利用してメンバー自身でチームに参加する

「チーム作成時にメンバーが決まっていない」「チームメンバーが多く、所有者がメンバーを追加するのに時間がかかる」といった場合、チームコードを生成し、コードをメンバーに伝え、メンバー自身でチームに参加してもらうことができます。ただし、チームコードが漏洩すると、想定外のメンバーが入る可能性もあるので注意してください。必要なメンバーがチームに参加し、不要になったチームコードは、セキュリティの観点から削除することをおススメします。

**図5-3　メンバー自身にチームに参加してもらう**

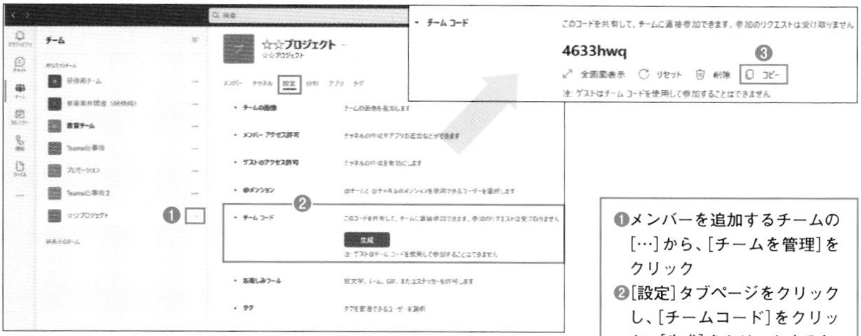


**参加する側**

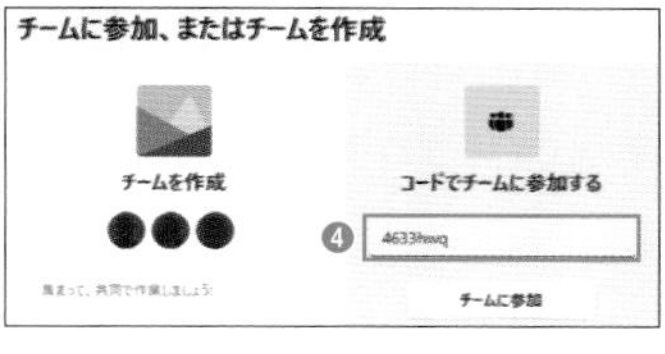


❶メンバーを追加するチームの[…]から、[チームを管理]をクリック
❷[設定]タブページをクリックし、[チームコード]をクリック。[生成]をクリックすると、チームコードが生成される
❸[コピー]をクリックすると、チーム参加用のコードがクリップボードにコピーされる。メールなどに貼り付けて、メンバーにコードを伝える
❹コードを受け取ったメンバーは、アプリバーから[チーム]を選択し、左下の[チームに参加、またはチームを作成]をクリック。「コードでチームに参加する」でコードを入力して、[チームに参加]をクリック

## 外部のヒトをチームに招待する

Teamsでは、社外のヒトをチームに追加できます。お客様とプロジェクトを進める場合など、外部のヒトを含めたチームを作成することで、今までメールで行っていた会話やファイル共有をチャットでできるので、より迅速な情報共有を実現できます。なお、チームに外部のヒトを招待する場合、ゲストのアクセス許可として、チャネルの作成を有効にするかどうかは、チームの管理画面の［設定］タブ（図5-2参照）から変更できます。

**図5-4　外部のヒトをチームに招待する**

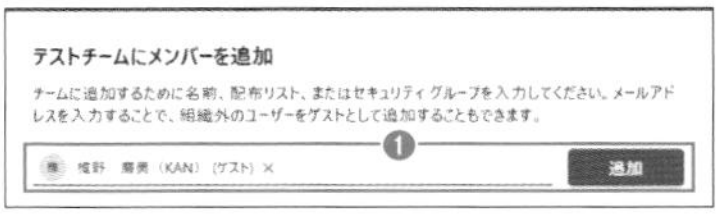


**参加する側**

❶外部のヒトを招待するチームの［…］から、［メンバーを追加］をクリック（図5-2参照）。「メンバーを追加」画面で外部ユーザーのメールアドレスを入力して、［追加］をクリック。この操作でチームへの招待メールが送信される
❷外部のチームに招待されたことをお知らせするメールから［Microsoft Teamsを開く］をクリック。ブラウザーが開き、「アクセス許可の確認」を求められるので［承諾］をクリック
❸以後組織を切り替えるには、画面右上のアカウントアイコンをクリックして、表示したい組織を選択する

## 【Tips】Teams Connect（2022年8月13日時点：パブリックプレビュー）

図5-4で説明したとおり、他社のチームに招待された場合、そのチームにアクセスするためには、アカウントアイコンをクリックして、組織を切り替える必要があります。現在、パブリックプレビュー版でリリースされている「Teams Connect」を利用すると、チームのチャネル単位で社外のゲストを招待でき、ゲスト側は自身のテナントから直接そのチャネルを利用できるので、組織（テナント）の切り替えは不要になります。

## チャネル・タグの管理

1章の図1-7で説明したとおり、Teamsの構造は、「チーム」⇒「チャネル」⇒「情報」となります。この階層構造を理解し、使いやすい階層構造を作成・維持できれば、検索機能を使わなくても目的の情報に素早くアクセスできます。**「探す時間」を減らし、効率よく効果的にシゴトを進めるには、チームの情報をどのように分割し、チャネルに集約するかが大きな鍵**になります。1章のプロセス思考で説明したとおり、ヒトによって思考の粒度が異なるので、どのような粒度で情報をまとめるとメンバーがシゴトを進めやすいのかを考え、チャネルを作成します。

**図5-5　チャネルを追加（作成）する**

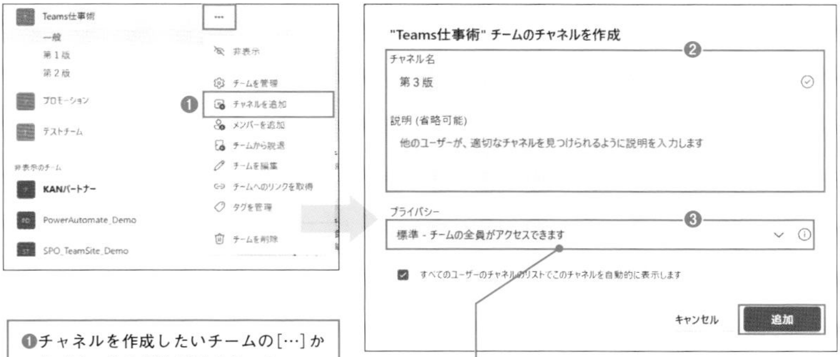


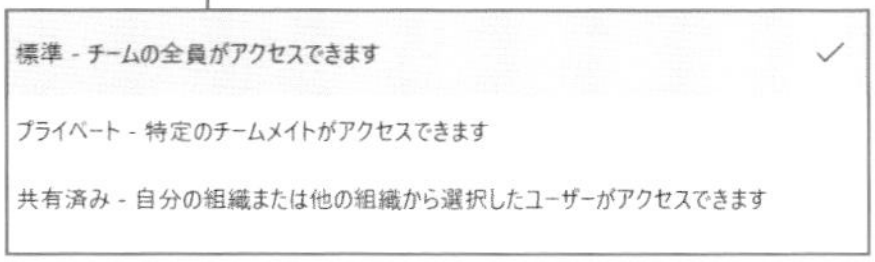


❶チャネルを作成したいチームの[…]から、[チャネルを追加]をクリック
❷「チャネル名」(必須)と「説明」を入力
❸プライバシーから[標準]または[プライベート]または[共有済み]を選択して、[追加]をクリック
標準：チームの全員がチャネルにアクセスして閲覧できる
プライベート：チーム内のユーザーの特定のグループしかアクセスできない
共有済み：自分の組織または他の組織から選択したユーザーがアクセスできる

## 【Tips】新しいチャネルをすべてのメンバーに表示する

チームに多くのチャネルが存在する場合、新しいチャネルを作成しても非表示チャネルにまとめられてしまい、メンバーがその存在に気づかないことがあります。チームの所有者がチャネルを作成する場合、チャネルの追加時（図5-5参照）または「チームを管理」（図5-2参照）の［チャネル］タブから、メンバー全員にチャネルが表示できるように設定できます※2。「チームを管理」の［チャネル］タブから設定する場合は、チャネルの一覧の「メンバー向けに表示」にチェックを入れます。

## モデレーターを設定する

Teamsにおける**モデレーター**とは、チャネルの管理をする協力者のような存在です。2章の「投稿に特定の人だけが返信できるようにする」で説明した、投稿の返信を特定のヒトに制限するには、事前に、チームの所有者がモデレーターの設定をしておく必要があります。

モデレーターを設定すると、チャネル内のコンテンツとコンテキストを管理する責任を、チーム所有者とチャネルのモデレーターで共有するので、モデレーターは、チームメンバーのアクセス許可の設定が可能になります。

**図5-6　モデレーターの設定**

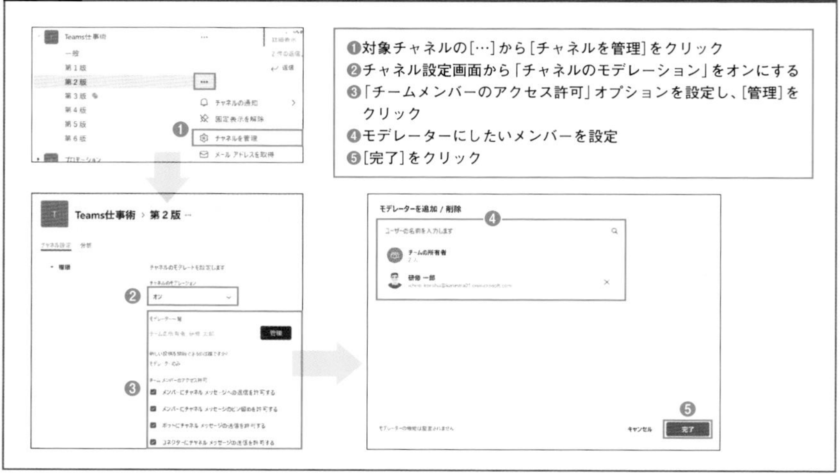
❶対象チャネルの[…]から[チャネルを管理]をクリック
❷チャネル設定画面から「チャネルのモデレーション」をオンにする
❸「チームメンバーのアクセス許可」オプションを設定し、[管理]をクリック
❹モデレーターにしたいメンバーを設定
❺[完了]をクリック
Teams仕事術 > 第2版
モデレーターを追加 / 削除
チームの所有者
キャンセル
完了

※2：ただし、チーム所有者がメンバー全員に表示するように設定した後、メンバーが個別に非表示設定を行った場合は、非表示にできる。

## タグを管理できるユーザーを変更する

2章の「タグをメンションで指定する」で説明したとおり、任意のタグ（例：リーダー）を作成し、複数ユーザーをグルーピングすることで、任意のタグ（例：@リーダー）を使ってメンションできます。

タグの作成は、既定では「チームの所有者」に権限が設定されていますが、Teams管理センターの「Teamsの設定」で設定の変更も可能です。「チームの所有者とメンバー」に設定すると、すべてのチームメンバーが、所属チームのニーズに合わせてタグを作成、編集できるようになり、チームの所有者の作業負担を軽減できます。

図5-7 「タグを管理できるユーザー」の変更

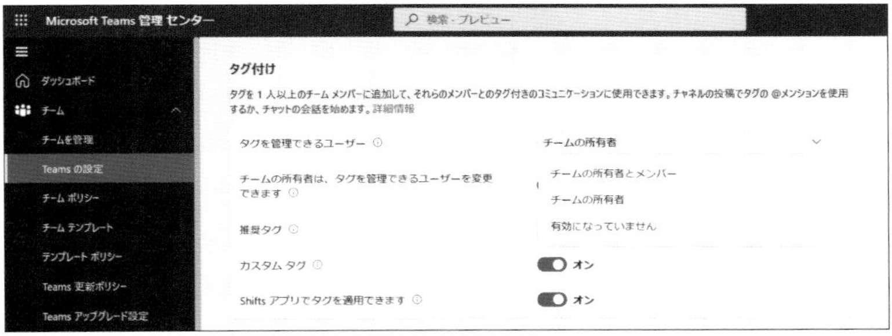


## タグを作成する

メンションで利用するタグを作成する場合は、図5-8の手順で行います。

**図5-8　メンションで利用するタグを作成する**

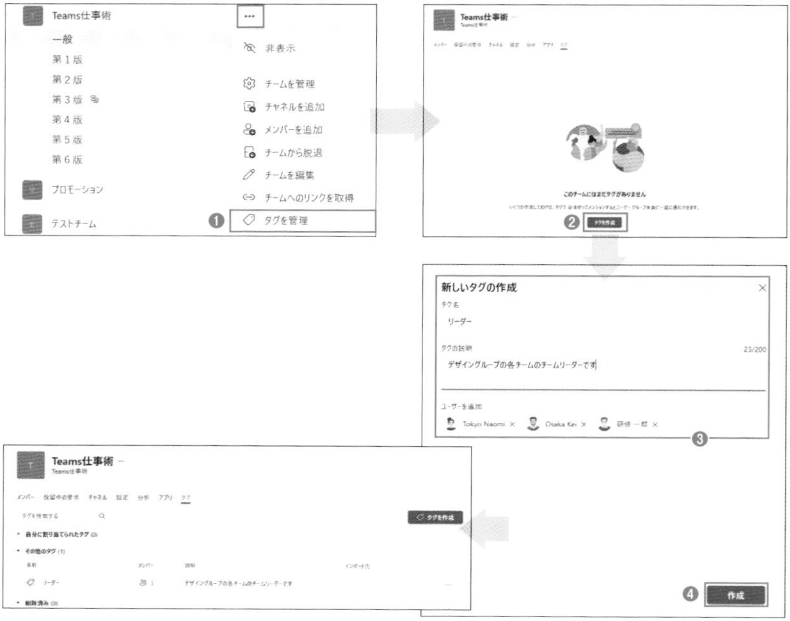


❶タグを作成したいチームの[…]から[タグを管理]をクリック　❷[タグを作成]をクリック　❸「タグ名」を入力。「ユーザーを追加」に登録したいメンバーを検索して追加　❹[作成]をクリック

## チャネルの「タブ」にアプリケーションを追加する

チームにチャネルを作成すると、既定で「投稿」「ファイル」「Wiki」の3つのアプリケーションが用意され、タブで切り替えられるようになっています。チャネルで利用するアプリケーションをタブに追加すると、連携がしやすく便利です。

1章で説明したとおり、Teamsは、効率よく業務を行えるよう、情報や機能を集約し、「情報の見える化」と「業務の見える化」を実現するプラットフォームとして設計されています。Microsoft 365の他のサービスや他社のクラウドサービスとも連携できるので、業務に合わせて、必要なサービスを組み合わせて利用することができます。5章の後半では、「チームのシゴトを見える化」する際、Teamsと連携して使うと便利なサービスを説明します。

## 定期的にチームとチャネルを整理する

この節のまとめとして、探す時間を短くして心地よくシゴトができるように、チーム・チャネルを作成・整理するコツを紹介します。

**図5-9　チーム・チャネルを作成・整理するコツ**

### チーム・チャネルの作成

**①「ホウ・レン・ソウ」と「ザツ・ソウ」でチャネルを整理する**

- 業務の「ホウ（報告）・レン（連絡）・ソウ（相談）」に着目してチャネルを作成する
- カジュアルな話をしやすくするため、雑談・業務外の相談用チャネルを用意する

**②チームやチャネルの命名規則を決めておく**

- 「01_○○」「02_○○」といったように、先頭に番号をつけることで並び順を整理する

**③ルールはWikiにまとめて、運用ルールを確認しやすくする**

- チームのルールは「一般」のWikiに、チャネルのルールは各チャネルのWikiに記載する

**④プライベートチャネルは極力使わない**

- チームの特定メンバーだけで共有したい場合は、管理が煩雑になるプライベートチャネルではなく、そのメンバーだけの新しいチームの作成を検討する

### チーム・チャネルの整理

**①使いやすい順番にチームやチャネルを並べ替える**

- チームやチャネルを、一覧上でドラッグ＆ドロップして、表示順を変更する

**②「非表示」「固定」を使って見やすくする**

- チームの[…]から利用可能な「非表示」や「固定」機能で、表示・非表示を切り替える
- 一定期間利用されていない場合、自動的に非表示になることもあるので、非表示チームやチャネルを確認する

**③使わなくなったチームはアーカイブして保存する**

- Teams画面左下の歯車アイコン（図5-1参照）から「チームを管理」の画面に移動し、アーカイブしたいチームの[…]から[チームをアーカイブ]をクリックする
- アーカイブされたチームは「非表示のチーム」に移動し、参照はできるが、チャネルの作成やコメントの投稿はできない状態になる
- アーカイブできるのは「所有者」権限を持つユーザーのみで、必要に応じて復元が可能

**④チームやチャネルの乱立を防ぎ、不要なチームやチャネルは削除する**

- チームを削除した後、30日以内であれば復元可能。誤って削除してしまった場合は、Microsoft 365管理センターの管理者にできるだけ早く復元を依頼する
- 自分が所有者であるチャネルは、管理する責任が自分にあることを忘れない

# Polls（Forms）で「チーム」と「コジン」の課題を共有する

「無意識」か「意識的」かの違いはあっても、ヒトの言動の背景には、「そのように言いたい」「そのように行動したい」という、「感情」や「意図」があります。**誰かの言動を理解するとき、「肯定的な意図」で捉えるか、「否定的な意図」で捉えるかによって、受け取り方が変わってしまう**のです。まったく同じ言葉や行動であっても、相手との関係性によって「肯定的な意図」と解釈したり、「否定的な意図」と解釈したりしてしまうことさえあります。

つまり、ヒトは誰しも自分のフィルターをとおして解釈し、その解釈には「違い」があるということです。相手との「違い」を理解するために、まずは「違い」を「知る」必要があります。

このような「違い」を可視化する手段の1つに、アンケートがあります。「賛成または反対の比率を確認したい」「選択肢から多数決で決めたい」といった場合、Teamsチャットから**Polls（Forms）**※3の簡易アンケートを作成すれば、すぐにアンケートを実施できます。Teams内でPolls（Forms）を利用するためには、Polls（Forms）をアプリケーションとして追加します。

**図5-10** フィルターを通して物事を捉えている

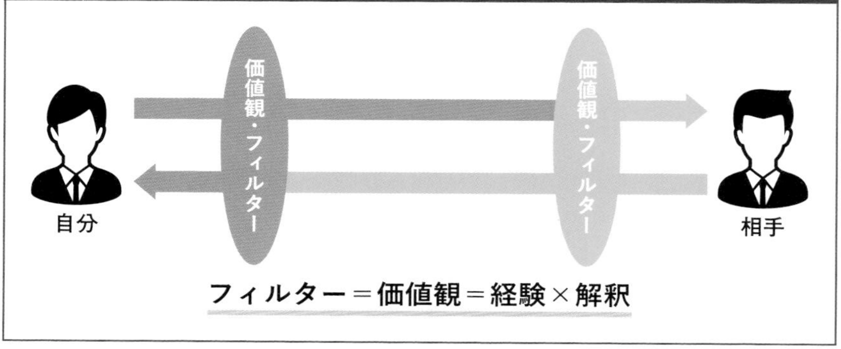


※3：2022年8月現在、Teamsチャットと Teams会議で提供されているFormsの簡易アンケートは、将来的に廃止になり、Pollsに統合されることが発表されている。

## Teamsとアプリケーションを連携する

Teamsは、コラボレーションおよびコミュニケーションの中心となるサービスとして、さまざまなアプリケーションと組み合わせて使うことができます。アプリケーションとの連携には、以下の3つのパターンがあります。

①アプリバーにアプリケーションをピン留めする（6章の図6-2参照）
②チャットやチャネルにタブを追加して関連付ける（5章の図5-23参照）
③メッセージングの拡張機能を使う（一部のアプリケーション）

### PollsをTeamsのメッセージと連動させる

ここでは、上記③でTeamsとPollsを連携する方法について説明します。図5-11の手順で連動させた後、図5-12の手順でPollsのアンケートをTeamsチャットで実施できます。また、Teams会議中にPollsアンケートを実施する場合、図5-13の手順で実施できます。

図5-11 PollsをTeamsのメッセージと連動させる

❶テキストボックスの[…]（メッセージングの拡張機能）をクリック
❷「アプリを検索」でPollsを検索し、[Polls]をクリック
❸[追加]をクリック
❹テキストボックスの[…]（メッセージングの拡張機能）をクリックすると、「最近使用」にPollsが表示される。Pollsアイコンを右クリックし、[固定]をクリックすると、Teamsチャットで Pollsの簡易アンケートを実施するPollsアイコンが追加される（図5-12①）

## 図5-12 TeamsチャットでPollsの簡易アンケートを実施する

❶テキストボックスの下部に表示される［Polls］をクリック
　※アイコンが表示されていない場合は、［…］をクリックして起動する
❷入力フォームが表示される。「質問」に質問を入力し、「オプション」に回答の選択肢を入力
❸［＋オプションを追加］をクリックすると、回答の選択肢の欄を増やすことができる
❹既定では単一選択になっているので、複数選択にする場合は［複数選択］をONにする
❺回答者の名前を収集したい場合は、「回答者の名前を記録する（作成者にのみ表示）」にチェックを入れる。回答結果を画面で共有したくない場合は、「集計された結果を回答者と共有する」のチェックを外す
❻［プレビュー］をクリックする
❼プレビュー画面でアンケート投稿内容を確認し、［送信］をクリックするとチャットのスレッドに投稿される。［編集］をクリックすると、編集画面に戻る

## 図5-13 Teams会議チャットでPollsのアンケートを実施する

❶Teams会議の[会議チャット]を開き、テキストボックスの[…](メッセージングの拡張機能)をクリック
❷「アプリを検索」でPollsを検索し、Pollsをクリック。アンケート作成画面(図5-12②～⑦と共通)で、アンケートを作成して投稿する
❸会議参加者の会議画面と会議チャットにアンケートが表示される。アンケート回答が送信されると、リアルタイムで集計され、結果が更新される

### アンケート実施中の画面

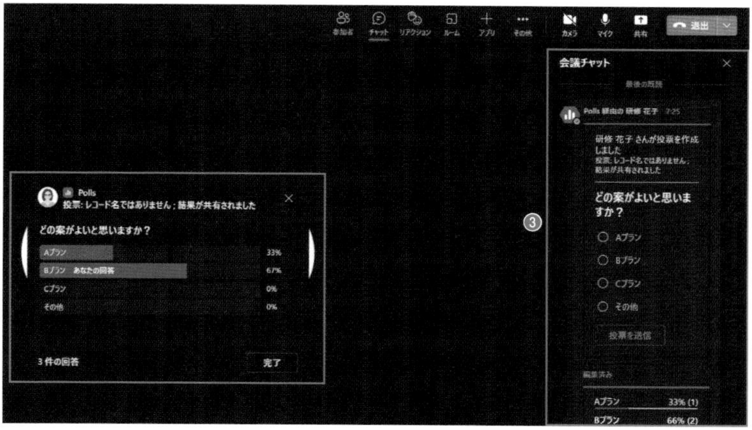

## 会議のアンケートを事前に作成する

会議をスムーズに進めるために、アンケート内容が決まっている場合は、事前にアンケートを作成しておくことをおススメします。

図5-14 会議のアンケートを事前に作成する

❶会議の編集画面を開き、上部にある[+]をクリックして、新しいタブを追加する
❷「タブを追加」で[Polls]をクリック。Pollsの説明画面が表示されたら、[保存]をクリック
❸[投票]タブが作成される。[+新しい投票]をクリックして、アンケート(投票)を作成する
❹投票形式(複数選択・ワードクラウド・テスト・評価)を選択して、クリック
※ワードクラウドとは、自由記述の回答で、同じ言葉が使われているかどうかを判定し、使用頻度が高い言葉ほど大きく表示される形式
❺アンケートの質問・回答の選択肢などを入力し、必要に応じてオプションを変更し、[下書きとして保存]をクリック
❻下書き保存されたアンケートが表示される。次の投票(アンケート)を作成する場合、[+新しい投票]をクリックして、手順④～⑤を繰り返す

## 図5-15 事前に作成したアンケートを会議中に実行する

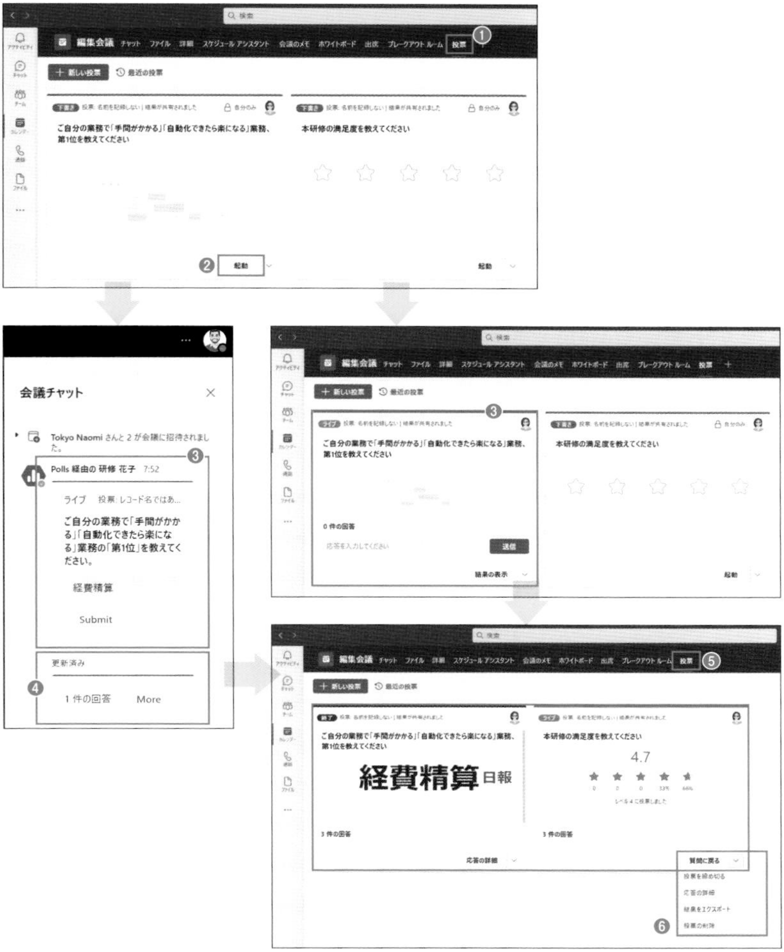


❶会議の編集画面を開き、[投票]タブをクリック
❷アンケートを収集したいタイミングで、該当する投票の[起動]をクリック
❸投票が「下書き」から「ライブ」に変わり、参加者の会議チャットに投票内容が送られる
❹アンケートの作成時に「集計された結果を回答者と共有する」にチェックが入っていた場合(既定)、回答者も結果を見ることができる
❺「投票」タブで、投票状況を一覧で確認できる
❻各投票の右下に表示される[∨]をクリックするとメニューが表示され、投票を締め切ったり、結果をエクスポートしたりできる。いったん締め切った投票も再開させることが可能

## Formsを使ってアンケート・クイズをつくる

前述したとおり、TeamsチャットやTeams会議をPollsと連携させると、「投票」を使って簡易アンケートやテストを実施できます。一方で、「複数の質問をまとめて1つのアンケートとして情報収集したい」「設問の回答結果によって、後続の設問を変更したい（条件分岐したい）」場合は、Formsを利用します。

簡単にまとめると、Formsは以下を実現してくれるツールといえるでしょう。

- 意見の集約：アンケートやテストを直観操作で簡単作成
- 集約の手間を軽減：アンケートの自動集計やテストの自動採点
- 集計結果の確認：集計結果をグラフで表示、Excelで一覧出力も可能
- 紙からの脱却：電子アンケートで配付も回収も効率的

Formsの機能を活用したアンケートを行いたい場合は、Microsoft 365のメニューからFormsを起動してアンケートを作成します。Formsには、共同編集のリンクを生成する機能があるので、組織のメンバーと共同でアンケートを作成したり、誰かが作成した設問をレビューして修正したりできるので、効率よくアンケートの作成ができます。

**図5-16 Formsアンケートのサンプル**

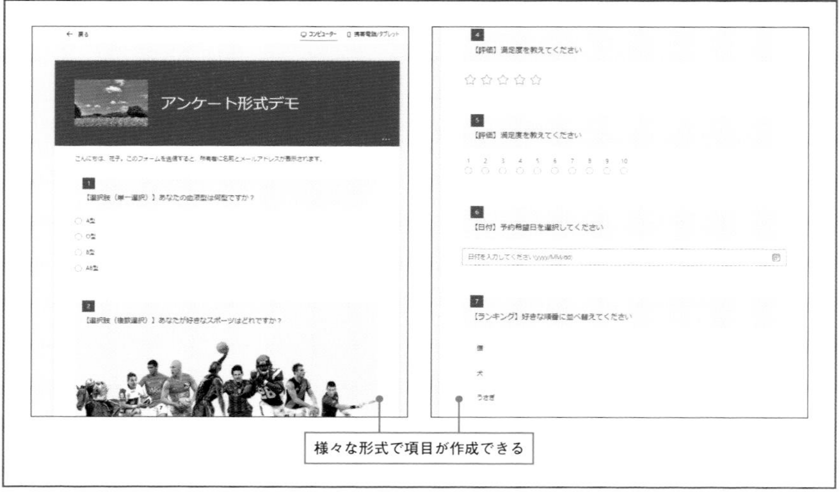

## 図5-17 Formsでアンケートを実施する

**自分と共有されているフォーム**
メンバーから共有されたフォームの一覧

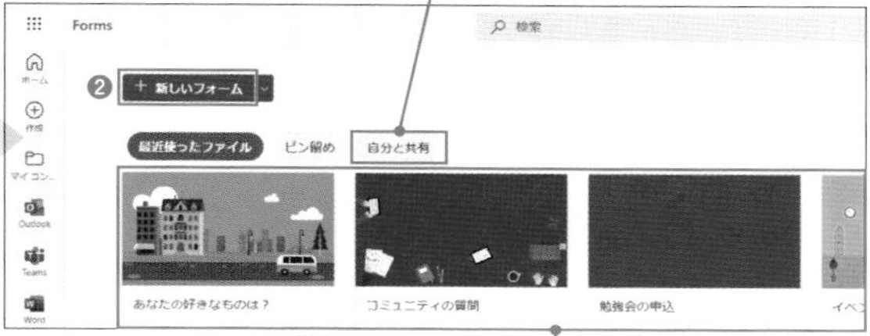


**保存済みのアンケート・クイズ**
作成中または、作成済みのアンケートやクイズの一覧

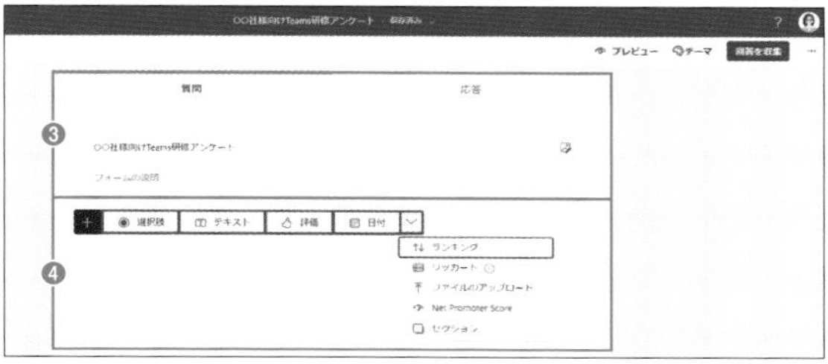


❶Microsoft 365のメニューから[Forms]をクリック
❷[＋新しいフォーム]をクリック
❸[無題のフォーム]をクリックして、アンケートのタイトル、アンケートの説明を入力
❹[新規追加]をクリックし、項目の種類を選択してアンケートを作成

### アンケートの項目形式

| 項目形式 | 使用方法 |
|---|---|
| 選択肢(単一回答) | ラジオボタンで選択 |
| 選択肢(複数回答) | チェックボックスで選択 |
| テキスト | テキストボックスでテキスト入力 |
| 評価式 | ★の数、数値で評価 |
| 日付 | カレンダーから日付を選択 |
| ランキング | 項目に順位をつける |
| リッカート | 心理的尺度(よい・普通・悪いなど)から選択 |
| ファイルのアップロード | ファイルをアップロードする |
| Net Promoter Score | 10段階スコアから数値を選択 |

# Yammerで組織の<br>ヒトとヒトをつなぐ

ヒトとヒトのコラボレーションのカタチには、「階層型」と「ネットワーク型」があります。

**階層（ヒエラルキー）型**

- 定型的な情報伝達の場合は、情報伝達ルートの管理がしやすい
- 最短経路で情報伝達ができないので、情報共有に時間がかかる
- ノウハウの相互活用が限定的になりやすい

**ネットワーク型**

- 定型的な情報伝達の場合、情報伝達ルートが管理しづらい
- 最短経路で情報を迅速に伝達し、変化に素早く対応できる
- オープンに連携することで、社員のノウハウを相互に活用できる

社内通知、業務報告などを共有する場合は、決まった方向で伝達する階層型の方が、管理がしやすく効率的です。一方、ヒトとヒトをつなぎ、メンバー同士のナレッジを共有したり、質問や課題を迅速に解決したりする場合は、ネットワーク型の方が効率がよくなります。つまり、どちらか一方が「よい」のではなく、**目的に応じて使い分けられる手段（環境）が整っていること、そして手段（環境）の使い方をヒトが理解していることが大事**なのです。

「ネットワーク型」の情報共有を実現する観点から、多くの組織に利活用してほしいサービスが**Yammer**です。Yammerを社内SNSとして利活用できると、組織やチームの課題をオープンな場で話すことができます。さらに、メンバー同士のナレッジ共有が活発になることで、質問や課題を迅速に解決できるようになります。

またYammerの活用は、課題の解決につながるだけではありません。他部門とのコラボレーションで新しいビジネスが生まれるなど、組織の活性化や

組織力の向上にもつながります。たとえば、以下のような事例があります。Yammerでつぶやいたアイデアを見た別部門のヒトからTeamsのプライベートチャットに連絡が来て、一緒に新しいサービスを生み出した事例です。

①Yammer（全社グループ）にアイデアや企画をつぶやく
②Yammerに多方面から反応がある
③Teams（チャット）に「一緒にやりませんか？」とメッセージが送られてくる

このような、コラボレーションツールの使い分けを考える上で重要なのは、「情報のフォーマル度」と「従業員への権限移譲」の２軸で、目的に見合ったツールを選んでいくことです。図5-18は、TeamsとYammerに、Microsoft 365のもう１つのコラボレーションツールであるSharePoint Onlineを加え、それぞれの得意とする領域を整理したものです。

**図5-18 コラボレーションツールの使い分け**

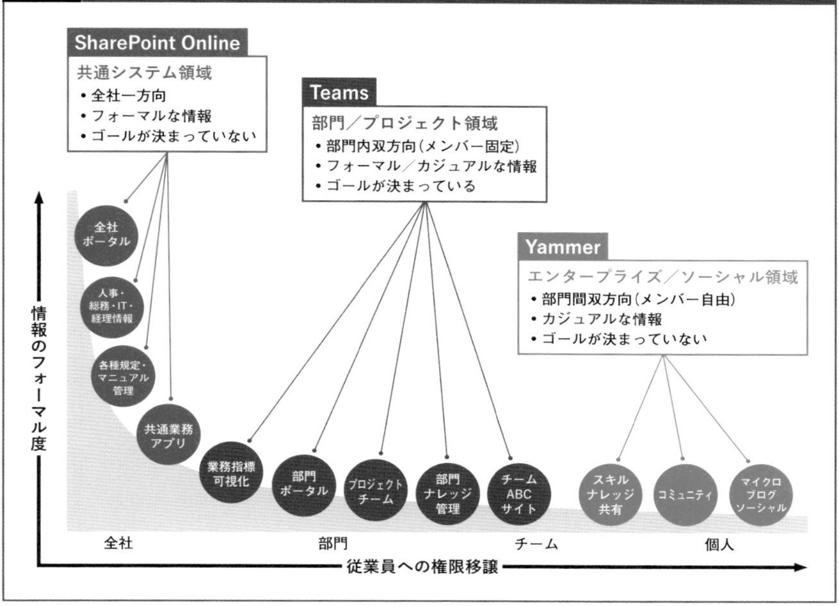

# SharePoint Onlineで チームのファイルを管理する

ユーザーからするとTeamsにファイルが保存されているように見えますが、Teamsで共有したファイルは、**SharePoint Online**かOneDriveのどちらかに保存されています。つまり、Teamsのファイル共有の仕組みは、SharePoint OnlineとOneDriveの2つのサービスによって支えられています。

「TeamsとSharePoint Online」「TeamsとOneDrive」の連携の仕組みを知っておくと、より柔軟なファイル管理が可能になります。そこで5章ではSharePoint Onlineについて、6章ではOneDriveについて説明します。

## チームに紐づいたSharePointサイトを開く

Teamsでチームを作成すると、そのチームに紐づくSharePointサイトが作成されます。チームに紐づいたSharePointサイトを開き、SharePoint Onlineの機能を利用する場合、次の手順で行います。

**図5-19　チームに紐づいたSharePointサイトを開く**

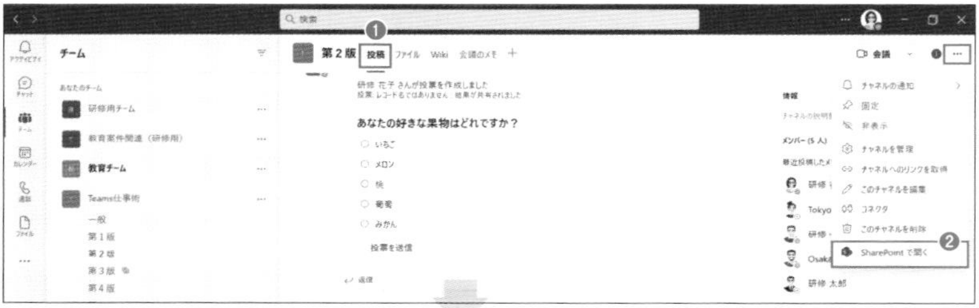


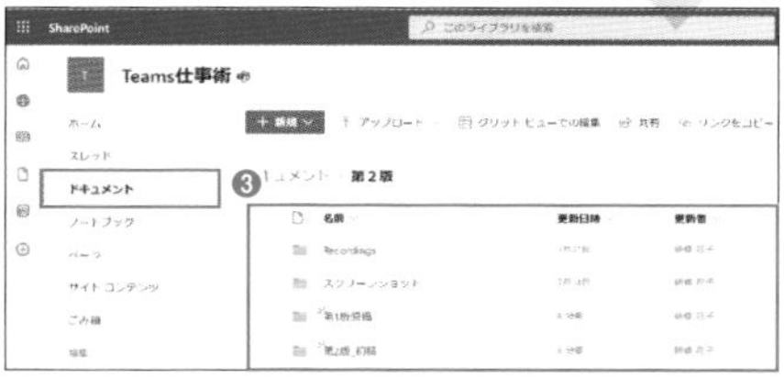


❶チーム内のチャネルの[投稿]タブを開く
❷画面右上の[…]をクリックし、[SharePointで開く]をクリックすると、SharePointサイトが開く
※サイトのデザインテンプレートのメッセージが表示された場合は、[後で]をクリック
❸[ドキュメント]をクリックすると、チームの各チャネルのドキュメントライブラリが作成されているのが確認できる

## バージョン履歴を使ってファイルを過去のバージョンに戻す

Teamsのチャネルのファイルは、SharePoint Onlineに保存され、自動的にバージョン管理が行われています。そのため、ユーザーがファイルを誤って編集、上書き保存したとしても、バージョン履歴を使って以前のバージョンに戻すことができます。

**図5-20　ファイルのバージョン管理を利用する**

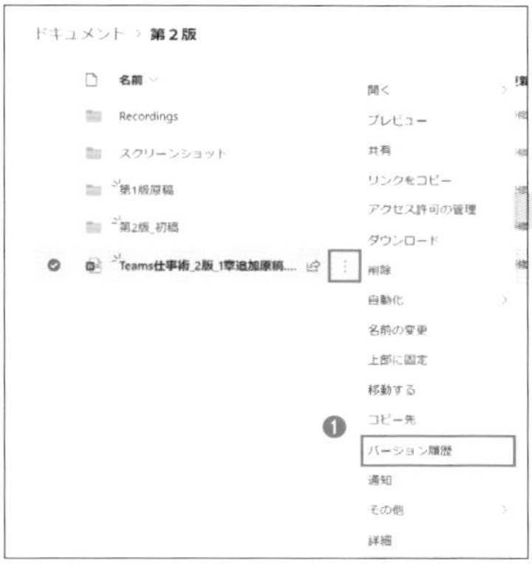


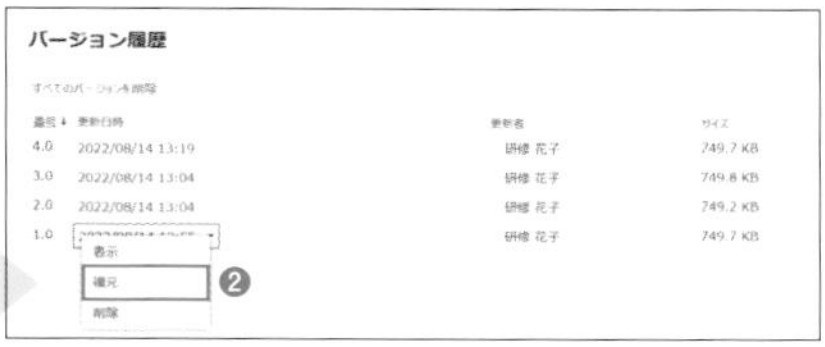


❶SharePointサイトの「ドキュメント」に保存されている対象のファイルの[…]をクリックし、[バージョン履歴]をクリック
❷「バージョン履歴」が表示されるので、戻すバージョンを選択し、[▼]をクリック。メニューから[復元]をクリックすると、復元したバージョンで、最新バージョンが作成される
※各日時をクリックすると、その日時のバージョンのファイルが開く

## 削除ファイルを「ごみ箱」から元に戻す

チャネルのファイルを削除した場合、SharePoint Onlineの「ごみ箱」に入ります。チームメンバーで共有しているファイルを誤って削除してしまった場合でも、SharePointサイトの「ごみ箱」に残っていれば、ファイルを選択して［復元］で元に戻すことができます。

**図5-21　削除ファイルを「ごみ箱」から元に戻す**

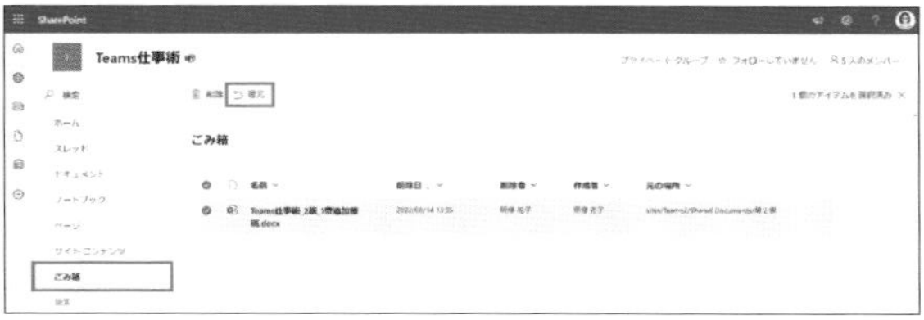

# Tasks(Planner)で チームのシゴトを管理する

ジブンのシゴトも、相手のシゴトも増やす1つに、**リマインド**があります。リマインドは、「相手が失念していないか」「予定どおり進んでいるか」を確認したり、相手の行動を促進したりするために発生します。

「リマインドをシゴトにしない」ためには、チームのシゴトを「見える化」する必要があります。特に、並行して複数のシゴトを進めている場合は、シゴトの優先順位や進捗を管理する意味で、シゴトの「見える化」は重要です。

TasksのPlannerを使うと、シゴトの進捗状況をチームで共有することができます[※4]。「タスクの一覧」と、その「期限」や「担当者」、「優先度」などが一目瞭然となり、「メモ」や「添付ファイル」を効果的に整理することも可能です。

## タスクの登録ルールを決める

Plannerを効果的に活用するためには、「タスクの登録ルール」をつくっておくことが重要です。以下に挙げた点がポイントとなってくるので、使い方の解説に入る前に確認しておきましょう。

### タスクの粒度を揃える

情報処理の粒度はヒトによって異なります。**タスクの管理を始める前に、タスクの粒度を揃えておきます。**タスクの粒度が粗すぎると、抜け漏れが発生して進捗が管理しづらく、逆にタスクの粒度が細かすぎると、管理するタスクが多くなり煩雑になります。まずは、チームにとって最適な粒度を決めることからはじめましょう。

※4：「Planner」は、「To Do」アプリと統合し、将来的に名称を「Tasks」にすると発表されている。また、2022年8月14日現在、アプリの名称が「PlannerおよびTo DoタスクTasks」となっているが、本書ではアプリの機能を区別するため、「Planner」と「To Do」と名称を分けて使用している。

## 優先順位・判断基準を決める

チームの「優先順位・判断基準」を決めておきます。たとえば、シゴトの選択肢が複数あった場合、以下の３点で評価するといった具合です。

**①セキュア（安全）**
**②スピード**
**③シンプル**

ここで重要なのは、２位が３つあるといった、同じ順位を複数つくらないルールにすることです。この制約を入れると、順位づけは難しくなりますが、判断基準をより明確にすることができます。複数の同じ順位をOKとすると、判断する際どちらを優先したらよいか迷ってしまう原因になります。



## 守れる「ルール」を決める

ルールは、判断基準を揃え、コトをスムーズに進めるために決めるものです。ヒトが守れないルールでは意味がないので、メンバーが守れるルールを決めます。

①タスクを管理する粒度の定義
②Plannerに登録・更新するルール（いつ登録する、いつ更新する）
③Plannerの進捗を確認するルール（例：１週間に１回、４週間に１回）

たとえば、１週間に１回、同じ曜日の同じ時間に定例会議を開き、定例会議までにシゴトの登録や更新を完了させておく、というルールが考えられます。また、１週間単位での進捗量が少ないタスクは、１ヶ月に１回、月例のタイミングで進捗を確認するとよいでしょう。

ニューノーマル時代は、今まで以上に会議を中心に「働き方」を組み立て、本当に必要な会議を効率よく開催します。「毎週確認すること」「月一で確認すること」を決めることで、リマインドが不要になり、予定どおりシゴトを進めやすくなります。

## Plannerでタスクを管理する

Plannerの階層構造は、「タブ」「バケット」「タスク」の3つの階層で情報を管理する構造になっています。まずはこの「階層」について理解しておくことが重要です。

図5-22　Plannerを使いこなすための「階層」

| 階層 | チーム／チャネル | タブ | バケット | タスク |
|---|---|---|---|---|
| 内容 | プロジェクトと、管理したい情報の階層を設定 | 管理するタスクの分類を設定 | 管理するタスクのより細かい分類を設定 | タスクを登録 |
| 設定 | Teams | Teams / Planner | Planner | Planner |

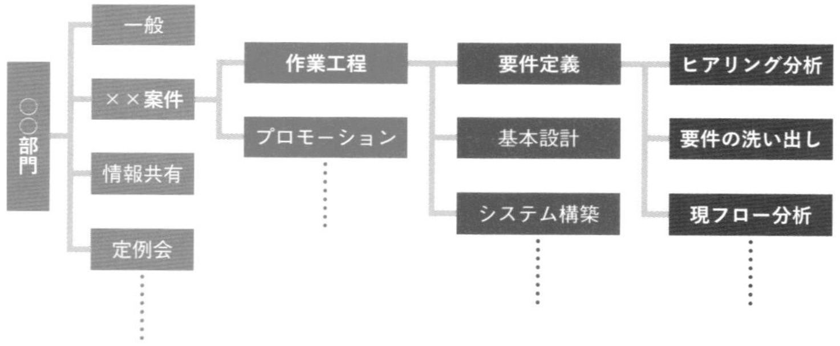


### Teamsにタブを追加する

Planner単体で利用することも可能ですが、Teamsのチャネルにタスク管理用のタブを作成することで、チャネルのメンバーとタスクを共有し、一緒に管理することができます。

## 図5-23　Teamsにタブを追加する

❶Plannerと連携して、タスクを管理したいチャネルをクリック
❷[+]をクリック
❸[PlannerおよびTo DoタスクTasks]アプリをクリック
❹新規にプランを作成する場合は、「新しいプランを作成する」の「タブ名」を入力し、[保存]をクリック

## バケットを追加する

バケットは、個々のタスクをまとめる単位になります。タブを追加すると、既定でTo Doバケットが用意されています。

## 図5-24　バケットを追加する

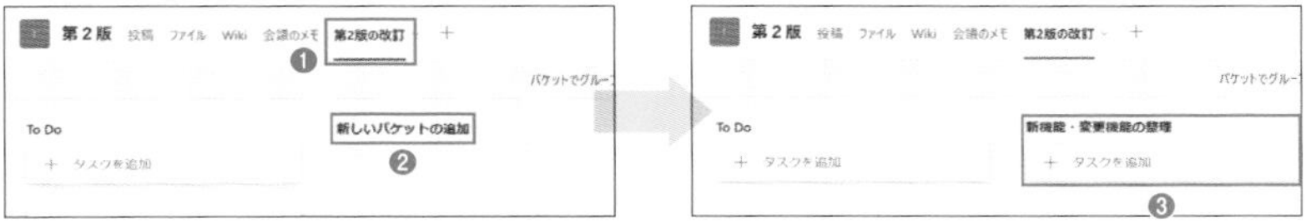


❶Teamsに追加したPlannerのタブをクリック
❷[新しいバケットの追加]をクリックし、バケット名を入力して[Enter]キーを押下
❸新しいバケットが作成される

## 図5-25 バケットにタスクを追加する

❶Teamsに追加したPlannerのタブをクリック
❷タスクを追加するバケットの[＋タスクを追加]をクリックし、「タスク名」を入力
❸[期限の設定]をクリックし、表示されたカレンダーから、このタスクの期限の日をクリック
❹[割り当てる]をクリックし、担当者を一覧から割り当てる。複数担当者がいる場合には、一覧から繰り返し選択。[Esc]キーを押下、または担当者一覧以外の場所をクリックして一覧を閉じる
❺[タスクを追加]をクリック

## タスクの詳細設定をする

追加したタスクをクリックすると、タスクの詳細を設定できます。タスクを割り当てられたメンバーは、「ラベル」「優先度」「期限」などを利用し、ジブンのタスクを効率よく管理できます。このうち「チェクリスト」は、作業完了時にチェックをいれると、完了したことを示す線がひかれるので、詳細な作業の進捗を「見える化」するのに便利です。

## 図5-26 タスクの詳細設定をする

## タスクのコピーでタスクを再利用する

タスクの［…］から［タスクのコピー］を利用して、既存のタスクを別のバケットにコピーできます。類似したタスクを別バケットで、一から作成しなくてすむので、効率よくタスクを管理することができます。

図5-27 タスクのコピーでタスクを再利用する

## 【Tips】同じコトを複数回行う場合はテンプレート化する

たとえば、既定のTo Doバケットをテンプレート用のバケットと位置づけます。このバケットに、テンプレート用のタスクを登録し、それをコピーして使う運用にすれば、タスクの登録を効率化できます。

また、別のバケットで作成したタスクがテンプレートとして再利用できそうな場合、テンプレート用バケットにコピーしてテンプレート化します。テンプレート化すると、必要な部分の修正だけですむので、ジブンだけでなく、チームメンバーのシゴトを減らすことにもつながります。

## 進捗をグラフで可視化する

画面上部の［グラフ］をクリックすると、チャネル内のタスクの状況がグラフで表示されます。

各タスクの進捗状況がリアルタイムで分かるので、進捗が思わしくないタスクを早めに支援するなど、チームのシゴトを円滑に進めやすくなります。

**図5-28　進捗を可視化するグラフ**

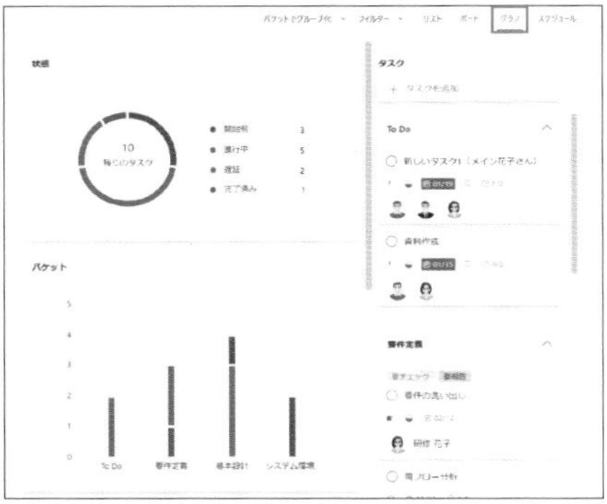


## 自分に割り当てられたタスクを確認する（グループ別バケット）

バケットの表示は、［ボード］と［リスト］に切り替えることができます。［ボード］表示で、［○○でグループ化］をクリックすると、選択した条件でグループ化された表示に切り替えることができます。

［担当者］を選択すると、担当者別にタスクがグループ化されるので、自分に割り当てられたタスクをまとめて確認することができます。

## 条件でフィルタリングする

［○○でグループ化］で条件別にまとめて表示できますが、［フィルター］をクリックし、条件別にフィルタリングして表示することも可能です。

あらかじめ用意されているフィルターだけでなく、色の「ラベル」に意味を定義し、そのラベルをタスクに設定することで、オリジナルのフィルター条件を設定することもできます。

# 第6章

# ジブンのシゴトを「見える化」する

# Tasks（To Do）で
# コジンのシゴトを管理する

コジンのタスク管理では、次の点がポイントになってきます。

**1.シゴトのフローチャートを書いてみる**

シゴトの流れを整理することは、シゴトを効率化する上で非常に重要です。1章でプロセス思考の話をしましたが、業務プロセスが改善できないヒトに共通しているのは、「シゴトをプロセスやフローチャートで整理できない」「シゴト時間の見積もりができない」という2つの大きな問題があります。

業務プロセスを改善したいヒトには、フローチャートでモノゴトを整理するトレーニングをおススメしています。

**2.シゴトの「時間」を引き算で考える**

シゴトの効率をあげるには、引き算で考えます。初めてのシゴトでかかった時間が60分だったとしましょう。次回、同じ品質を維持したまま45分でできるようにするために、何をどのようにすれば15分を削れるかを考えます。そして次回、同様のシゴトが来た場合、45分で完了できるかチャレンジします。このトレーニングを繰り返すことで、ジブンの1つ1つのシゴトの見積りを的確に行えるようになります。

**図6-1　タスク管理で業務を効率化する**

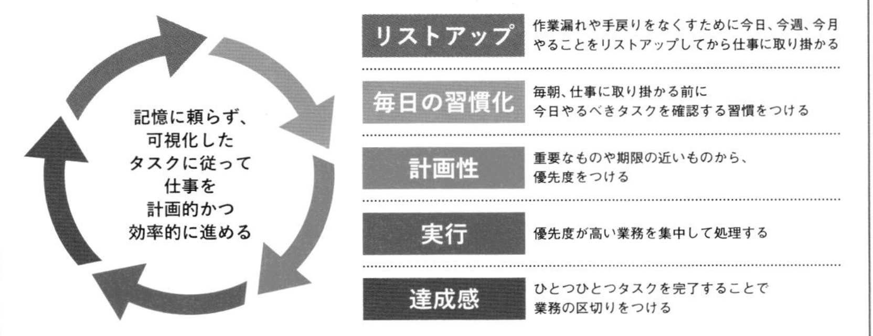
記憶に頼らず、
可視化した
タスクに従って
仕事を
計画的かつ
効率的に進める
リストアップ
作業漏れや手戻りをなくすために今日、今週、今月
やることをリストアップしてから仕事に取り掛かる
毎日の習慣化
毎朝、仕事に取り掛かる前に
今日やるべきタスクを確認する習慣をつける
計画性
重要なものや期限の近いものから、
優先度をつける
実行
優先度が高い業務を集中して処理する
達成感
ひとつひとつタスクを完了することで
業務の区切りをつける

## To Do を Teams と連携して使う

5章では、Plannerを使って、チームのタスクを管理する方法について説明しました。第6章では、コジンのタスクを管理する**Tasks（To Do）**※1について説明します。Tasksを使えば、コジンのタスク管理だけでなく、チームやプロジェクトのメンバーとタスクを共有し、管理することができます。

**Tasksを使うと「できる」こと**

- 日々のタスクを登録
- 組織やプロジェクトのメンバーと、タスクを共有、共同で進捗管理
- Outlook メールをそのままタスク化
- 組織・プロジェクトのタスクは、進捗をグラフで可視化

### Teamsに To Do アプリを追加する

**図6-2 To Doを起動する**

❶アプリバーの[…]をクリック
❷「Planner および To Do タスク Tasks」を検索し、クリック
❸「Planner および To Do タスク Tasks」が起動する
❹右クリックで[固定]を選択すると、左側のメニューに常に表示できるのでアクセスがしやすくなる

※1：Plannerは、To Doと統合し、将来的に名称を「Tasks」にすると発表されている。2022年8月14日現在、アプリの名称が「Planner および To Do タスク Tasks」となっているが、本書ではアプリの機能を区別するため、「Planner」と「To Do」と名称を分けて使用している。

**表6-1 「自分のタスク To Do」に表示される項目**

| 自分のタスク一覧 | 表示されるタスク |
|---|---|
| タスク | すべてのタスク |
| 重要 | 優先度「重要」に設定したタスク |
| 計画済み | 期限を設定したタスク |
| 自分に割り当て済み | チャネル(組織・プロジェクト)のタスクで、自分が担当者に割り当てられたタスク |
| リスト | リストを作成した場合(図6-4)、作成したリストが表示される |

## タスクを作成する

タスクの追加は［＋タスクを追加］から行います。

**図6-3 タスクの追加**

❶[タスク]をクリックし[＋タスクを追加]をクリック
❷「タスクのタイトル」を入力し、[Enter]キーを押下するとタスクが登録される
❸登録されたタスクをクリックするとタスクの詳細設定画面が表示される。Plannerのタスクと同様、チェックリストを設定可能。タスクに詳細な作業がある場合は、チェックリストに登録して管理する

## タスクをフィルターで絞り込む

登録したタスクは右上の［フィルター］をクリックして、期限や優先度、キーワードで絞り込むことができます。

## タスクをリストで管理する

関連する業務を、カテゴリごとにまとめたい場合は、「リスト」を作成し、リストでタスクを管理します。

**図6-4　タスクをリストで管理する**

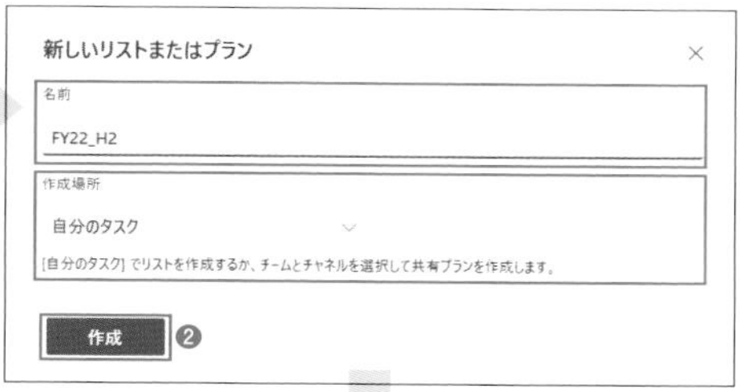


❶画面左下の[＋新しいリストまたはプラン]をクリック
❷「名前」と「作成場所」を設定し、[作成]をクリック※2
❸「作成場所」に「自分のタスク」を選んだ場合は「自分のタスク To Do」の欄に、「チーム」と「チャネル」を選んだ場合は「共有プラン Planner」の欄に新しいリストが作成され、リストにタスクを追加できる

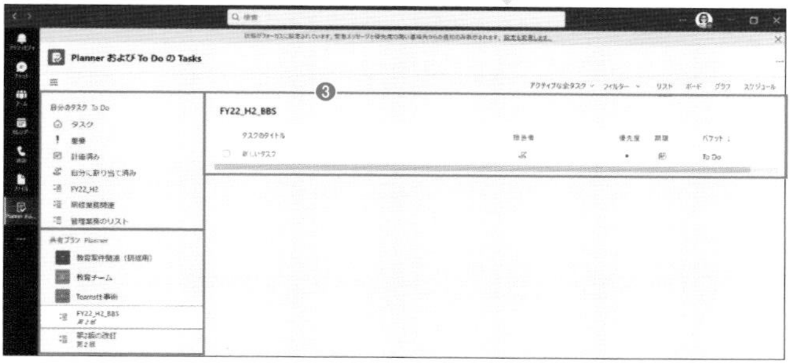


**特定のチームのチャネルに共有プランとして作成した場合**

自動的にチャネルの「タブ」が生成され、作成したプランにアクセスできる

※2：「作成場所」で「チーム」と「チャネル」を選択した場合、Plannerの「プラン」として作成され、チームメンバーにタスクを割り当てることが可能になる。

## タスクを移動する

作成済みのタスクを別のリストに移動することができます。[タスク] の一覧、または、自分のタスク用に作成した [リスト] から、移動させたいタスクを選択し、タスクの右側に表示される […] をクリックします。移動先を指定するダイアログボックスが表示されるので、移動先を選択すると、指定したリストにタスクが移動します。

## タスクを完了する

タスク名の前の [○] をクリックするとタスクが完了し、一覧から削除されます。完了したタスクは、画面右上の [アクティブな全タスク] を [完了済み] に切り替えると、完了したタスクとして一覧表示されます。

図6-5　タスクを完了する

# To Do を Outlook から使う

To Do は Outlook とも連動するので、メール・予定表から単体で起動することができます。簡単なタスク登録と管理は Teams での一元管理が便利ですが、繰り返しのタスク登録などの機能を使いたい場合は、To Do で行います。

**表6-2　To DoとTeamsのできること**

| できること | To Do | Teams |
|---|---|---|
| タスクの通知 | ○ | ○ |
| 通知と期限の設定 | ○ | △ |
| 詳細設定 | ○ | △ |
| ステップ(チェックリスト)の追加 | ○ | △ |
| 繰り返し設定 | ○ | × |
| 進捗確認・更新 | ○ | ○ |
| リストの作成 | ○ | ○ |
| リストの複製・共有 | ○ | × |
| フィルターでの絞り込み | × | ○ |
| 今日の予定に追加 | ○ | × |

## タスクを作成する

Outlookから To Doのタスクを登録するには、次のような手順で行います。

**図6-6　Outlookから To Doのタスクを登録する**

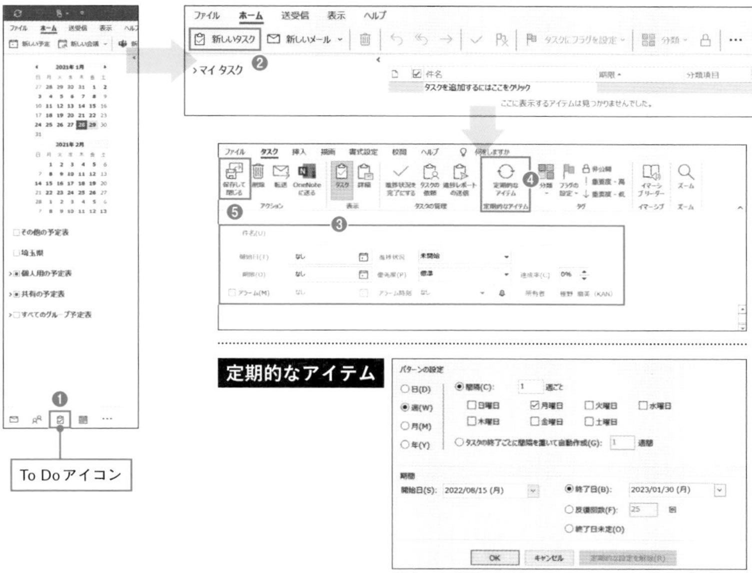


❶Outlookの左下にある[To Do]アイコンをクリック　❷「ホーム」メニューの[新しいタスク]をクリック　❸タスクを登録するウィンドウが表示される。「件名」「開始日」「期限」を設定　❹(タスクを繰り返したい場合)[定期的なアイテム]をクリックし、繰り返すタイミングを設定　❺[保存して閉じる]をクリック

**図6-7　メールをTo Doのタスクとして登録する**

## To Do を Teams チャットから使う

Teamsのチャネルの投稿やグループチャットは、簡単にタスクとして作成することができます。タスクとして登録したいメッセージの［…］をクリックし、［その他の操作］から［タスクの作成］をクリックします。

**図6-8　投稿やチャットのメッセージをTo Doのタスクとして登録する**

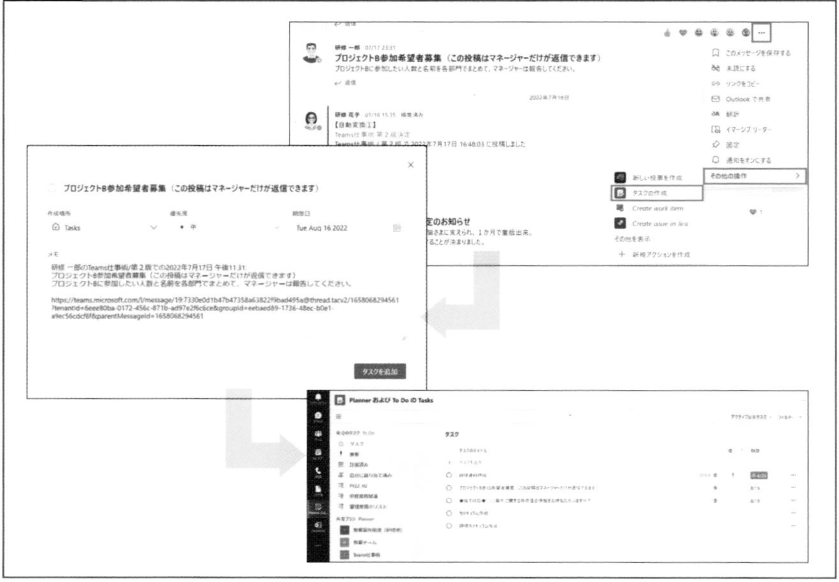

# OneNoteでいつでもどこでも手軽にメモをとる

## OneNoteとTeamsを連携して使う

- 保管場所が散在してなかなか見つからない
- 複数名でファイルを更新して、最新版が分からなくなった
- 会議体によって、議事録の共有方法がまちまち
- メンバーによって知っている情報の量や質がバラバラ



ファイルサーバーやグループウェアの歴史を振り返ってみても、情報が分散されてしまう問題は、昔から存在しています。その理由は、ファイルサーバーやグループウェアが情報管理の「仕組み」を提供したとしても、ユーザーがバラバラな場所に保存してしまうからです。

コミュニケーションとコラボレーションの中心として設計されているTeamsが、どうやってこの問題に取り組んだのか、私なりに考察しました。

まず、「チャネル」が重要なのは、「チャネル」が情報をまとめる単位だからです。チャネルに投稿された会話、ファイル、(チャネルに紐づけられた)会議やタスク管理と、すべてが「チャネル」に集約されているので、ユーザーから見ると、とてもシンプルな構造になっているのです。

「チーム」と「チャネル」の２階層にすることで、ユーザーは3ステップでやりたいことに辿り着けるようになっています。

「チーム」→「チャネル」→「ファイル」
「チーム」→「チャネル」→「タスク管理」
「チーム」→「チャネル」→「……」

「チャネル」に関係することは、全部「チャネル」からアクセスできるようにしているのです。「チャネル」にタスク管理として「PlannerおよびTo Doタスク Tasks」を関連付けたように、「チャネル」にアプリケーションを紐づけることで、ユーザーが使うアプリケーションを統一化しやすいのです。

他のアプリケーションと同様、**OneNote**も単独で利用することはできますが、「チャネル」にOneNoteを紐づけることで、チャネル会議の設定時に記載したアジェンダをOneNoteに転送できるなど、Teams内で連携して使うことができます。まさに、シゴトの「はじまり」から「おわり」までを考え、シゴトの流れを止めないような設計がされているのです。

### 【Tips】OneNote共有時の注意点

OneNoteの保存先は、個人のOneDrive（後述）になるため、異動や退職でアカウントが変わる、なくなる場合は、事前に保存先の変更が必要です。情報の機密性に合わせて、共有先や共有方法の設定には注意しましょう。デスクトップアプリ版の場合、最新版の共有にクラウドとの同期が必要です。

**図6-9　シゴトの流れを止めない(Teams内で会議から議事録まで)**

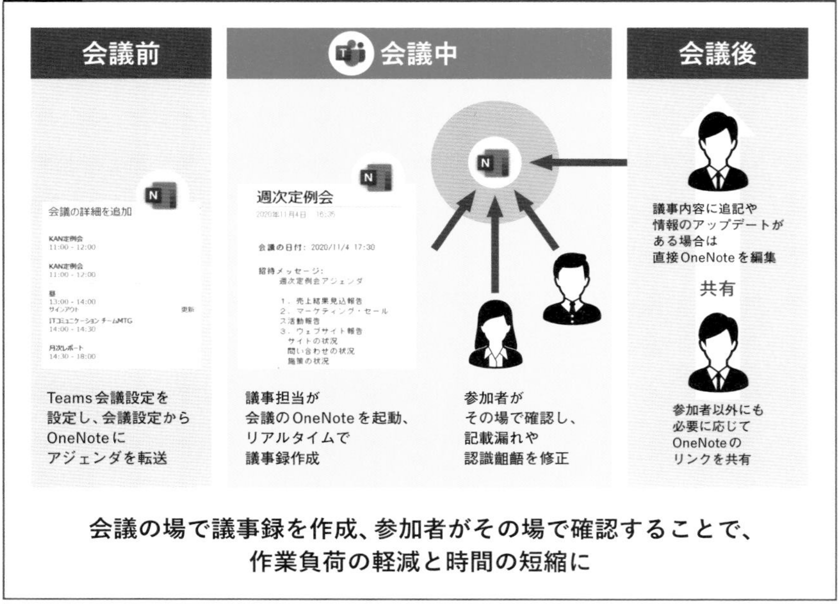
会議前
会議中
会議後
会議の詳細を追加
KAN定例会
11:00 - 12:00
KAN定例会
11:00 - 12:00
13:00 - 14:00
サインアウト
更新
ITコミュニケーション チームMTG
14:00 - 14:30
月次レポート
14:30 - 18:00
Teams会議設定を
設定し、会議設定から
OneNoteに
アジェンダを転送
週次定例会
2020年11月4日　16:35
会議の日付: 2020/11/4 17:30
招待メッセージ:
週次定例会アジェンダ
1．売上結果見込報告
2．マーケティング・セールス活動報告
3．ウェブサイト報告
サイトの状況
問い合わせの状況
施策の状況
議事担当が
会議のOneNoteを起動、
リアルタイムで
議事録作成
参加者が
その場で確認し、
記載漏れや
認識齟齬を修正
議事内容に追記や
情報のアップデートが
ある場合は
直接OneNoteを編集
共有
参加者以外にも
必要に応じて
OneNoteの
リンクを共有
会議の場で議事録を作成、参加者がその場で確認することで、
作業負荷の軽減と時間の短縮に

## 図6-10 TeamsにOneNoteを連携して議事録をとる

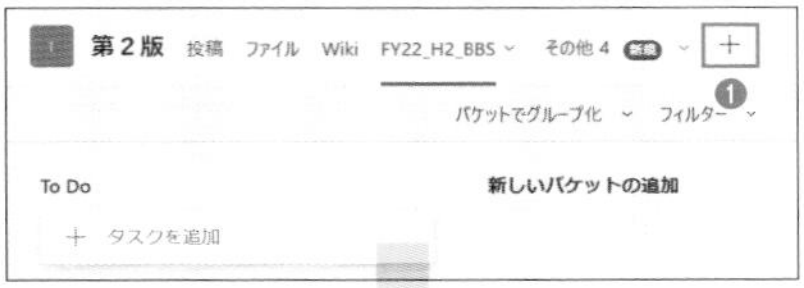

❶Teamsのチャネルのタブで[＋]をクリック　❷「タブを追加」の画面から[OneNote]を選択　❸「＋新規ノートブックを作成」で新規に作成するか、既存のノートと関連付けて[保存]をクリック　❹タブにOneNoteが紐づけられたのを確認する　❺[挿入]タブの[会議の詳細]をクリック　❻今日の会議一覧が表示される。別の日程を指定する場合は、[今日の会議]をクリックし、カレンダーから日付を選ぶ　❼該当する会議をクリックし、会議設定時に記入したアジェンダを読み込む　❽会議のノートを送信するリンクも自動生成される

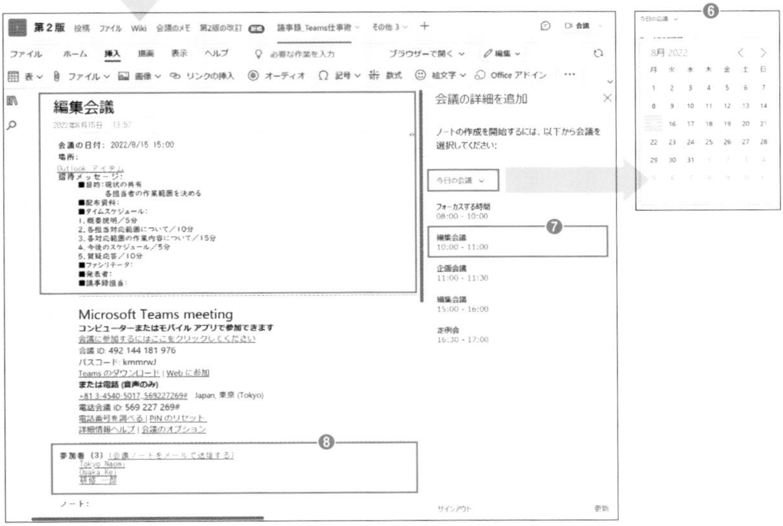

## OneNoteが提供する機能を理解する

OneNoteが提供する機能を活用すれば、次のことが可能になります。

**OneNoteを使うと「できる」こと**

- いつでもどこでも手軽にメモ
- ノート、セクション、ページを分けてテキストを整理
- 様々なツール、メディアとの組み合わせ
- 情報を一か所にまとめて共有・編集

OneNoteを起動すると、以下のような画面になります。［＋新しいノートブック］をクリックすると、新しいノートブック名を入力するダイアログが表示されるので、ノートブックの名前を入力して、［作成］をクリックします。

**図6-11 OneNoteの起動画面**

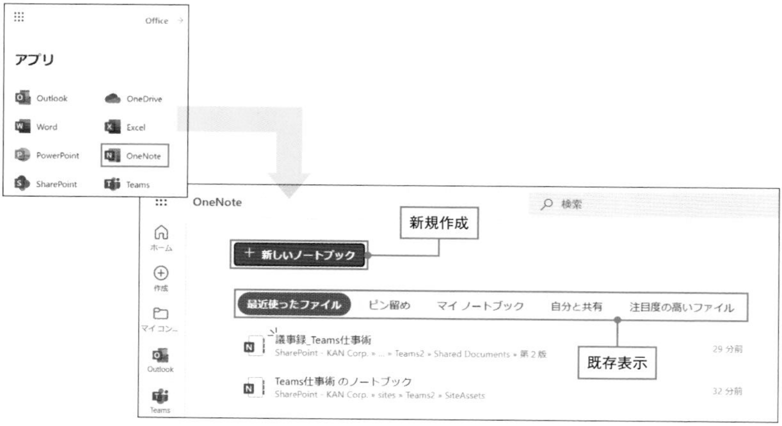


| | |
|---|---|
| 最近使ったファイル | 最近作業したノートブックの一覧 |
| ピン留め | OneNoteアプリでピン留めしたページの一覧 |
| マイノートブック | 自分が作成したノートブックの一覧 |
| 自分と共有 | 他のユーザーから共有されたノートブックの一覧 |
| 注目度の高いファイル | 他のユーザーが作業している、自分がアクセス権を持つノートブックの一覧 |

# セクションとページを使う

OneNoteのノートブックでは、「セクション」と「ページ」を使って、情報を構造化します。起動したOneNoteで、図6-12のようなナビゲーションが表示されていない場合は、左側にあるサイドバーの［ナビゲーションの表示］をクリックしてください。

## セクション・ページを追加する

セクションは、ナビゲーションの下部に表示されている［セクションの追加］から追加することができます。「セクション名」を入力するダイアログが表示されるので、セクション名を入力し［OK］をクリックすると、新しいセクションが作成され、既定で「無題のページ」が作成されます。

ページについては、［ページの追加］をクリックすると、「無題のページ」が追加されます。

**図6-12 セクションとページの使い方**

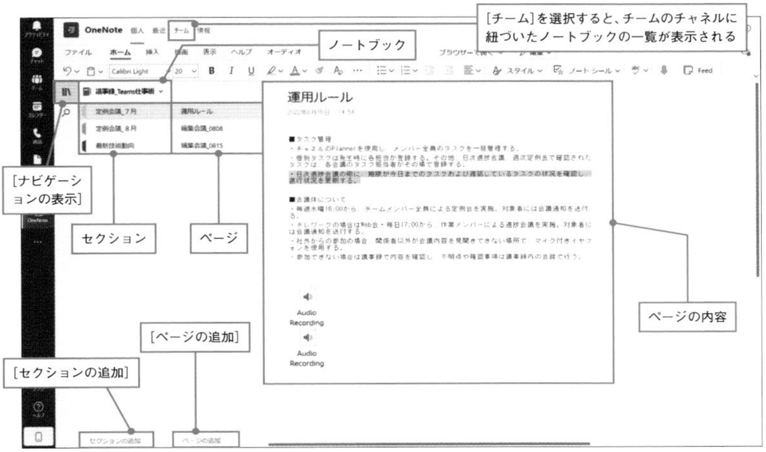


| ノートブック | セクション | ページ |
| --- | --- | --- |
| 1冊のノートのタイトル | ノートのインデックス | ノートの内容 |
| 用途に応じて作成 | まとめたい情報ごとに分類 | 内容を記載 |
| 例）チーム・プロジェクト・顧客ごと | 例）議事録運用ルール | テキスト・表・ファイル・画像・音声などを挿入、添付 |

### セクション名・ページ名を変更する

セクション名の変更は、名前を変更したいセクションを右クリックし、［セクション名の変更］をクリックします。「セクション名」を変更するダイアログが表示されるので、セクション名を変更し、［OK］をクリックします。

ページ名は、ページの先頭に入力した文字列が自動的にページ名に設定されるようになっているため、先頭行にページ名になるタイトルを入力します。なお、ページ側をクリックすると、ページを広く使うために、自動的にナビゲーションが非表示に切り替わります。［ナビゲーションの表示］をクリックすると再びナビゲーションが表示されるので、ページの先頭に入力した文字列がページ名になっていることを確認できます。

## OneNoteのページを編集する

図6-13のように、OneNoteのページは、ページ上でクリックした場所に入力ができます。入力した文字列は、「ノートコンテナー」と呼ばれる、1つの「かたまり」として扱われます。「ノートコンテナー」をドラッグすると、コンテナーごと、簡単に別の場所に移動させることができます。

移動するためには、「ノートコンテナー」にカーソルを位置づけ、カーソルが✥に変わったら、ドラッグして移動します。

「ノートコンテナー」の大きさは、「ノートコンテナー」の右辺を左右方向にドラッグすることで変更できます。

### 文章を移動する

ページ内の文章や画像の配置は、ドラッグ＆ドロップで移動することができます。「ノートコンテナー」の左辺の外側で、カーソルを動かすと、▷のカーソルが表示されるので、移動させたい文章の先頭に位置付けます。

クリックすると文章が選択されるので、カーソルが✥に変わったら上または下方向にドラッグすると、文章を移動させることができます。

文章が選択された状態から、ページの空いている場所（現在のノートコンテナーの外側の空いている場所）までドラッグすると、選択された文章は、新しい別の「ノートコンテナー」として分離することができます。

## アウトラインを使う

アウトラインを使用すると、文章や段落構成を見やすくレイアウトできます。アウトラインを使用するには、［インデントを減らす］または［インデントを増やす］を使います。

**図6-13 入力の仕組みを理解する**

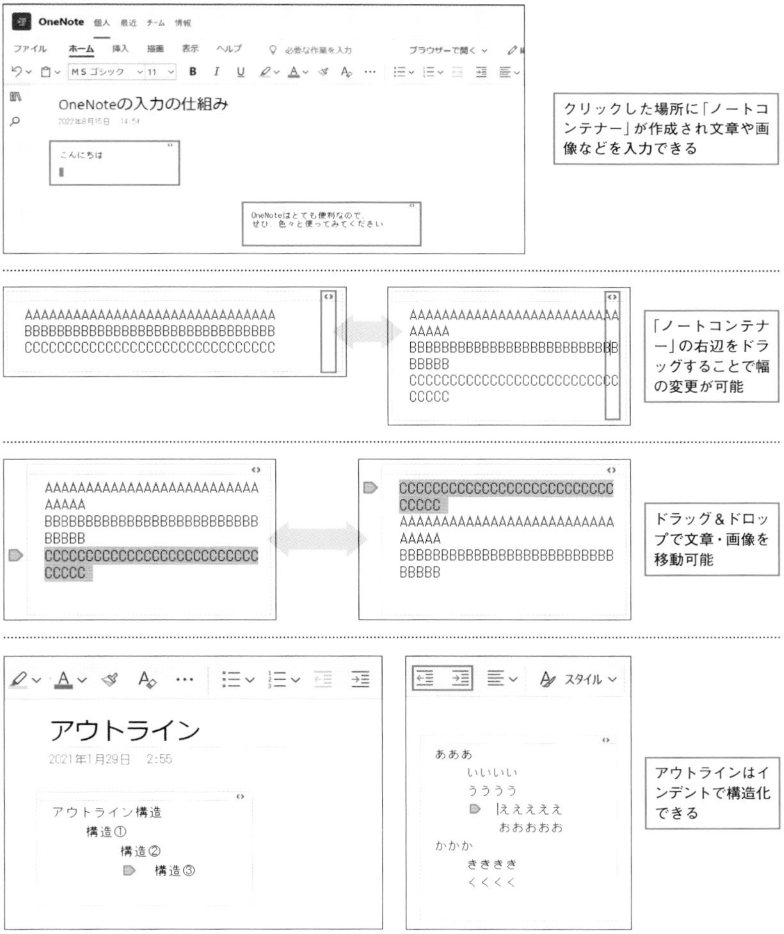

## ノートシールを使う

ノートシールは、入力文字の行頭にマークを付ける、マーカーを引くなどの目印機能です。重要や特別だと分かるようにマークやチェックボックスを付けることができます。シールを付けて内容を分類したいときに便利です。

## スペルチェックとオートコレクトオプションを使う

OneNoteでは、スペルチェックの機能を使ってスペルミスをチェックしたり、オートコレクトオプションを使って、入力の自動変換をしたりできます。

**図6-14　ノートシール・スペルチェック・オートコレクトのオプションを使う**

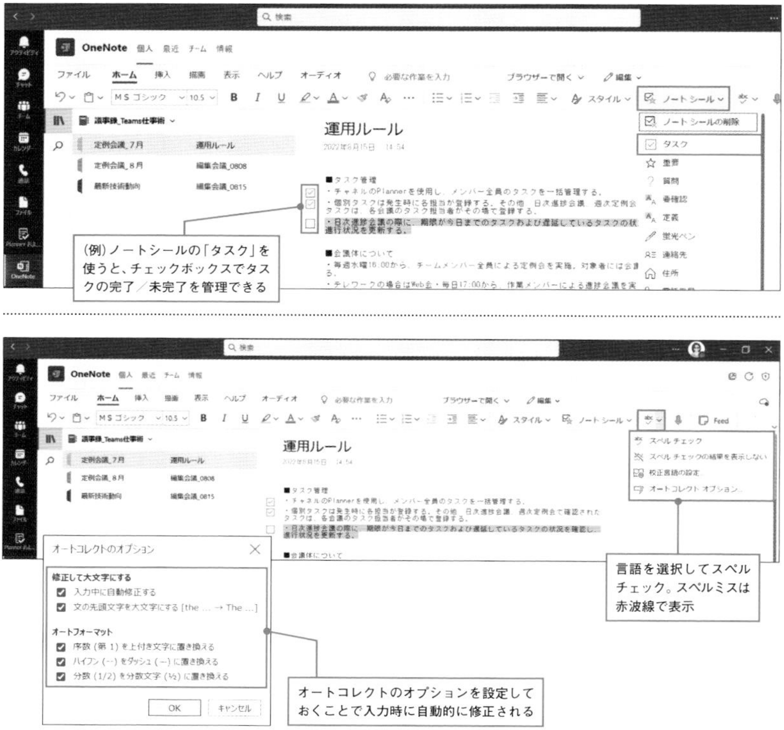

## 【Tips】OneNoteでタスク管理をする

ノートシールの「タスク」を使うと、チェックボックスでタスクの完了/未完了を管理することができます。手書きで紙のノートにタスクを書き出して、終わったらチェックをつける形式のタスク管理を、電子版ノートのOneNoteで行うイメージです。OneNoteで情報をまとめながら、簡易的なタスク管理を行う場合に便利です。

一方、期日や条件などで、進捗を効率よく管理したい場合は、前述のTasks（PlannerやTo Do）を利用することをおススメします。

## テキスト以外のデータを記録する

OneNoteには、テキスト以外にも、さまざまな形式のデータを記録することができます。その場で直接、音声を録音し、音声ファイルとして添付することも可能です。

テキスト以外を挿入する場合は、OneNoteの［挿入］タブをクリックし、表示される一覧から、［オーディオ］など、挿入したい内容のボタンをクリックします。

## セクション・ページを移動する

OneNoteでセクションやページを作成した後に、後から別のセクションに移動したり、ページの順番を入れ替えたりしたいことがあります。セクションとページは、ドラッグ＆ドロップで移動させることができます。

また、セクション名・ページ名を右クリックし、［移動/コピー］をクリックすることでも移動できます。

## OneNoteを共有する

自分のOneNoteを他のヒトに共有したい場合、ノートブックの単位で共有することが可能です。セクション・ページ単位での共有はできないので注意してください。

共有の際に、閲覧だけでなく、編集権限をつけることで、共有した相手も編集可能になります。また、有効期限を設定することで、期限付きの共有も可能です。ノートブックの共有範囲・期間などに合わせて、「リンクの設定オプション」を選択します。

**図6-15 OneNoteを共有する**

❶画面右上の［共有］をクリック
❷必要に応じて「リンクの設定」画面で設定を行い、［適用］をクリック
❸メールアドレスを指定して［送信］をクリックし、直接メールでリンク情報を送信する。または、［リンクのコピー］でリンクをコピーし、共有する相手にメールやチャットで伝える

| | Microsoft 365 サインイン | 組織外への共有 | 編集権の付与 | アクセス期限の設定 |
|---|---|---|---|---|
| リンクを知っているすべてのユーザー | 不要 | ○ | × | ○ |
| リンクを知っている組織内のユーザー | 必要 | × | ○ | × |
| 既存アクセス権を持つユーザー | 不要 | ○ | ○ | × |
| 特定のユーザー | 不要 | ○ | ○ | × |

# OneDriveでジブンのデータを管理する

個人ファイルの保管サービスとして、**OneDrive**があります。PCやタブレット、スマートフォンを利用して、どこからでもアクセスできます。OneDriveを使えば、ファイルを保存したり、保存されたドキュメントをオンライン上で閲覧したり、編集することができます。

**OneDriveを使うと「できる」こと**

- ファイルを保存：容量無制限のストレージ
- ファイルを探す：ファイルの中までキーワード検索
- ファイルを共有：複数の人とデータを共有
- ファイルを使う：最大5デバイスからアクセス可能

OneDriveにアクセスする場合、Teams同様、アプリケーションをインストールしてアクセスすることもできますが、本書では、OneDrive（Web版）を利用して説明します。

**図6-16 OneDrive（Web版）を開く**

## ファイル・フォルダーを作成する

ファイルとフォルダーの作成は［+新規］ボタンから行います。［Word文書］［OneNoteノートブック］［Excelブック］などのファイルの形式や、［フォルダー］を選択し、名前を入力して作成します。

## ファイル・フォルダーをアップロードする

OneDriveでは、ファイルかフォルダー単位でのアップロードが可能です。［アップロード］をクリックして、［ファイル］または［フォルダー］を選択し、対象のファイルまたはフォルダーを選んでアップロードします。

## ファイル・フォルダーを共有する

OneDriveでは、ファイルやフォルダーを他者に共有することができます。ただしセキュリティの観点から、共有範囲を組織内に限定している場合や、設定画面や操作できる範囲を制限している場合もあります。

**図6-17　フォルダーやファイルを共有する**

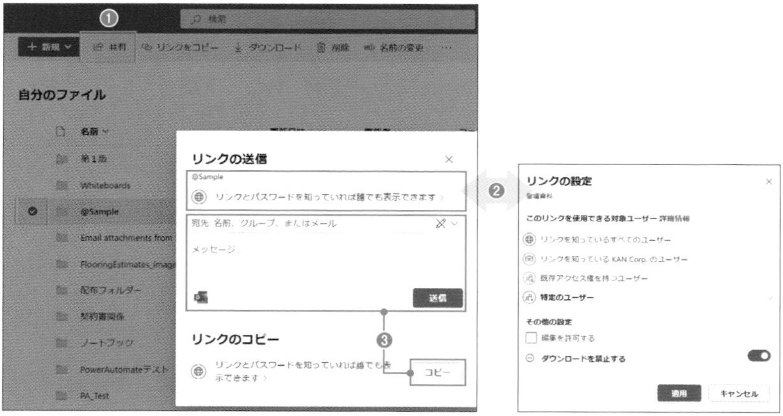


❶フォルダーかファイルを選択し、メニューから［共有］を選択
❷必要に応じて「リンクの設定」画面で設定を行い、［適用］をクリック
❸メールアドレスを指定して［送信］をクリックし、直接メールでリンク情報を送信する。または、［リンクのコピー］でリンクをコピーし、共有する相手にメールやチャットで伝える

### ファイルのバージョン管理を行う

OneDriveに保存されているファイルは、データを上書き保存すると、保存前のファイルもバージョン履歴として残ります。

誤って上書き保存してしまった場合は、バージョン履歴から「復元」することができます。空き容量を増やしたい場合や、バージョン履歴が必要なくなった場合は、バージョンを「削除」することも可能です。

**図6-18 ファイルのバージョン管理を行う**

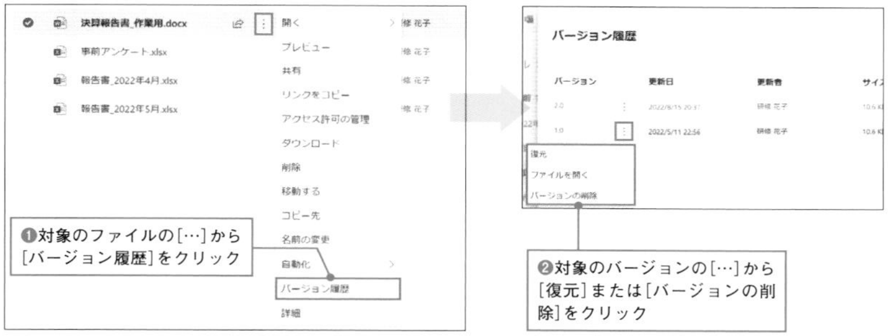


## OneDriveとTeamsの関係

OneDriveには、直接アップロードしたファイルのほか、Teams内で共有しているファイルも格納されます。Teamsのプライベートチャットやグループチャットに添付したファイルはOneDriveに保存され、チャットに参加している全メンバーで共有できます。

### TeamsからOneDriveのデータを確認する

Teamsのアプリバーの［ファイル］から、OneDriveのデータを見ることができます。自分が所属しているすべてのチームのファイルを確認することが可能です。

**図6-19 Teams から OneDrive 上のデータを確認する**

## 【Tips】チャットの「ファイル」に直接ファイルをドラッグ&ドロップ

プライベートチャットやグループチャットでファイルを添付すると、チャットの「ファイル」フォルダーに格納されます。この「ファイル」に、直接ドラッグ&ドロップして、ファイルを格納することもできます。その際、ファイルが共有された旨のチャットが自動的に送信されます。

**図6-20 チャットの「ファイル」にファイルを直接格納する**

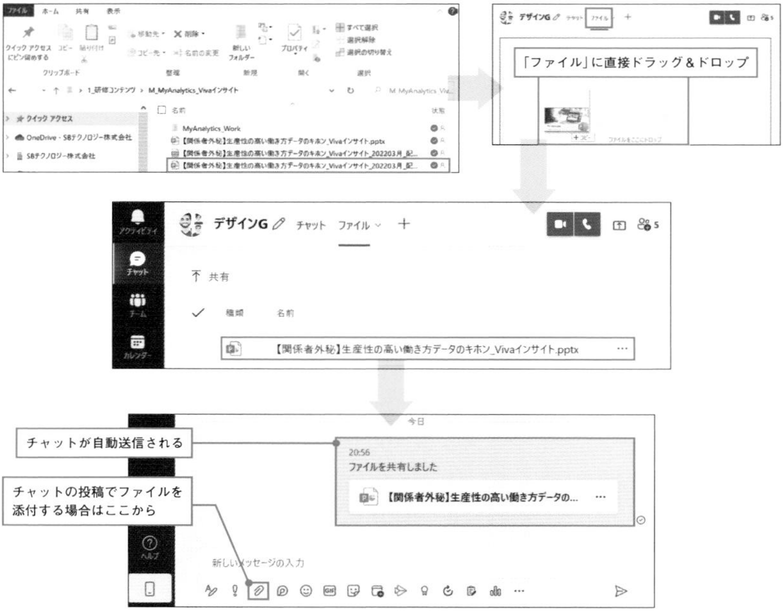

# Vivaインサイトでジブンの働き方を「見える化」する

心地よく働くためには、ジブンの状態や行動習慣を理解し、状況に合わせて最適な働き方を選ぶことが大切です。**Vivaインサイト**※3を利用すると、時間の使い方やコミュニケーション方法など、ジブンの働き方をセルフチェックできます。シゴトの行動習慣は、チームや関係者の働き方にも影響するので、日々の行動習慣を振り返り、お互いに改善することで、より心地よい働き方をチームで実践しましょう。

組織でVivaインサイトが有効になっている場合、定期的に分析データをメールで受け取ることができます（図6-21の左の画像）。また、Microsoft 365のアプリケーション一覧からVivaインサイトを起動すると、フォーカス時間（集中する時間）の設定や、ジブンの状況・同僚とのコラボレーションの確認などができます（図6-21の右の画像）。

**図6-21 Vivaインサイトによる働き方・習慣の分析**

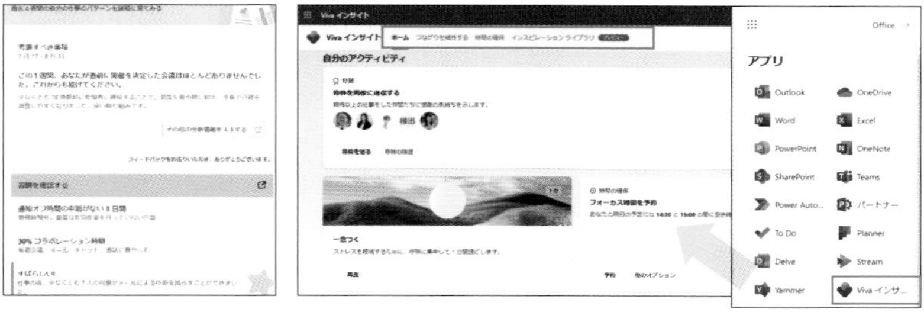


| タブ | できること |
|---|---|
| ホーム | 同僚に称賛を送る、日々の調子を記録する、休憩をとるために1分間の呼吸法の動画を見る |
| つながりを維持する | メッセージ（出欠未回答のメッセージなど）を確認する、同僚に称賛を送る |
| 時間の確保 | 集中するためのフォーカス時間を設定する、バーチャルコミュートを利用する |
| インスピレーションライブラリ（プレビュー版） | 心地よく働くためのシゴトの進め方、同僚との付き合い方などの情報を確認する |

※3：従来のMyAnalyticsは、Microsoft Viva インサイトに統合されている。

## Vivaインサイトの詳細なデータを確認する

Vivaインサイトの下方に表示される［Microsoft Viva Insights］をクリックすると、ジブンの働き方について、より詳細なデータを確認することができます。

**図6-22　Vivaインサイトの詳細なデータを確認する**

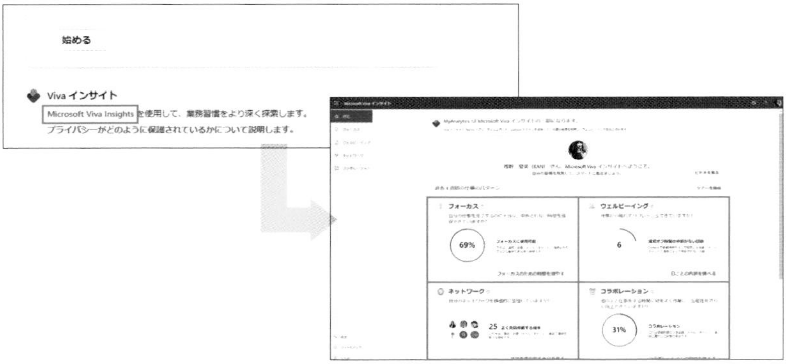


| 機能 | 概要 |
|---|---|
| フォーカス | 毎日1時間から2時間を、自動的にフォーカス時間として、スケジュール設定できる。フォーカス時間中は、Teamsチャットはミュートにされる |
| ウェルビーイング | 勤務時間外の業務状況を分析し、ウェルビーイングな状況（身体的、精神的、社会的に良好な状態）で働けているかどうかが表示される |
| ネットワーク | メールの既読率、返信までの時間など、社内外のヒトとヒトのネットワーク状況が表示される。表示は、「マップビュー」と「一覧」に切り替えることが可能。「マップビュー」は、誰と共同作業する時間が長いのかを直感的に確認するとき、「一覧」は、ヒト別にメールの既読率や返信までの時間など、詳細を確認したいときに使う |
| コラボレーション | 「会議に関する習慣」と「コミュニケーションに関する習慣」が分析表示される。「オンライン会議に時間どおり出席しているか」「会議出席依頼の返信を迅速に行っているか」など、会議の効率や効果を低下させる行動要因を把握できる。［提案を見る］をクリックすると、現状を評価し、改善が必要であれば改善提案が表示される |

ここでは、ジブンの働き方を「見える化」するために、Vivaインサイトを紹介しました。次の節では、本章のまとめとして、心地よく働くためにその現状をどのように改善すればよいかを考えていきましょう。

# 「やりたいこと」＝「できること」＝「求められていること」

## 「数値化できない能力」を磨く

**「自分の強みが分かりません」**

**「どうすれば、やりたいシゴトを見つけられますか？」**

このような「焦り」や「不安」は、悩みを複雑にしてしまうことがあります。その1つに、「テクニックの負のスパイラル」と名付けた状況があります。これは、うまくいかないのは「テクニック」不足が原因と考え、「テクニック」だけを身につけるスパイラルに入ってしまっている状況のことです。

**図6-23 「テクニック」と「スキル」**

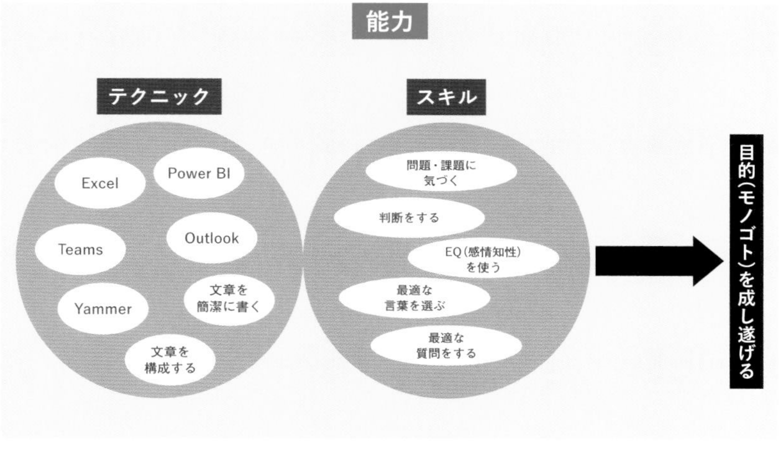


本書では「テクニック」と「スキル」を以下のように定義

- テクニック：技術（訓練を通じて身につけた知識や動作）
- スキル　　：技能（訓練や経験を通じて身につけた能力で、状況に応じて、最適な判断（意思決定）に基づいて行われる言動）

「テクニック」を身につけることは大切ですが、**ヒトが「何か」をできるようになるためには、「テクニック」と「スキル」の両方が必要です。**４章で紹介したカッツ理論の「テクニカル・スキル（業務遂行能力）」は、Teamsが使える、Excelが使えるといった業務遂行に必要な「テクニック」が中心で、「ヒューマン・スキル（対人関係能力）」と「コンセプチュアル・スキル（概念化能力）」は、数値化しづらい「スキル」が中心です。
「コンセプチュアル・スキル」は、目に見えている具体的な事象を抽象化し、モノゴトの「本質」をつかみ取る能力です。「コンセプチュアル・スキル」を磨くことは、「変化の先読み」「変化の先取り」スキルを磨くことにもつながるので、「テクニック」を修得するときにも役に立ちます。
　たとえば、Teamsの「コンセプト」である、「Any device. Any network. Anywhere」「どこにいても、一緒に働く（Work Together Anywhere）」を理解していると、オンライン会議以外の機能に気づけたり、将来提供される機能を予測できたりといった具合です。

## 「時期の早さ」と「身につける速さ」を見極める

　目に見えることだけに囚われてしまうと、カッツ理論もマネージャーになってから考えればいい、「コンセプチュアル・スキル」の比率が最初は少ないから、後で身につければいいと考えてしまいがちです。
　カッツ理論に、本書で定義した「テクニック」と「スキル」を組み合わせた図が、図6-24です。私は、カッツ理論で定義された３つのスキルには、**どのスキルにも、テクニカルな側面とスキルの側面がある**と考えています。
　たとえば、「ヒューマン・スキル」の１つであるコミュニケーションスキルでは、話術や対話法などがテクニカルな側面で、それらをとおして、相手がどのように感じているかを感じ取るのがスキルです。
「テクニカル・スキル」は、「テクニック」の割合が高いので、自分の「行動量」≒「成長量」であり、行動量を増やすことで、「身につける速さ」を速めることができます。テクニックを学んだ後は、「行動量」を増やせば成果につながるので、教える側も、教わる側も、成果が分かりやすく、「成長スピード」を見積もりやすいのです。

**図6-24 テクニックとスキル**

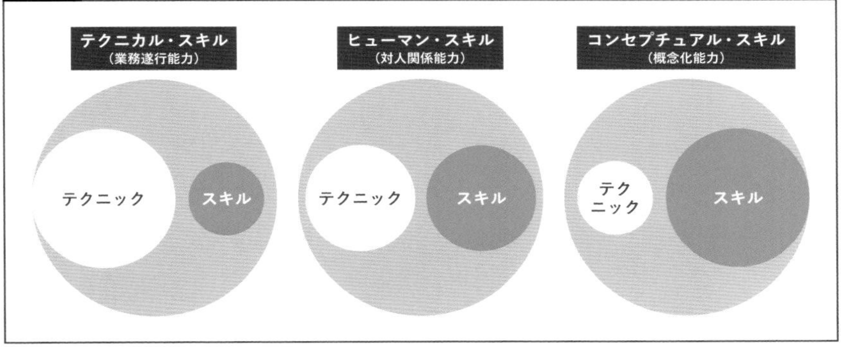


一方、「コンセプチュアル・スキル」は、「スキル」の割合が高いので、単に「行動の量」だけ増やせば身につくというものではありません。どのような行動をするか、「行動の質」が必要であり、「行動の質」を磨くには、「経験の質」と「経験の量」を増やす必要があるからです。

**つまり、「スキル」を磨くには、「機会」を手に入れる必要があり、最初の「機会」を得るタイミングがいつになるかが重要で、これが「時期の早さ」**です。研修を受けた方々が「もっと早く知っておきたかった」「もっと早く身につけておきたかった」と言われるのは、それまで「身につける速さ」だけに着目していたことに気づかれるからです。「テクニカル・スキル」に比重を置いた新入社員研修を実施する組織が多いのですが、私は、**「ヒューマン・スキル」や「コンセプチュアル・スキル」のテクニカルな部分を早めに教え、同時に「テクニックだけでは、うまくいかないことを経験する」ことが重要**と考えています。

このことを裏打ちしてくれたのは、このコンセプトで設計した新入社員研修を受講した方々の成長カーブと成長スピードです。「テクニックだけではうまくいかない」「テクニックとスキルの両方が必要である」ことを、自らの経験として実感すると、「時期の早さ」と「身につける速さ」の両方を意識した行動をとる人が多いからです。最初に「学び方を学ぶ」ことができれば、後は、自主的に学べるという事例になります。

## 「知る」→「理解する」→「できるようになる」

ヒトが「何か」をできるようになるには、「①知る」→「②理解する」→「③できるようになる」という３つのフェーズが必要です。スキルには、**「①知る」フェーズで、「教えられたこと」と「できる」がイコールになりやすいスキルと、イコールなりづらいスキルがあることを理解する**ことも重要です。

たとえば、経験や体験があまりなくても、小学生にプログラミングを教えると、プログラミングスキルを身につけることができます。プログラミングスキルは、「教えられたこと」≒「知っていること」≒「できること」になりやすいスキルです。

一方、コミュニケーションスキルは、「知っていること」≠「できること」なので、教えられただけでは、「知っていること」≒「できること」にはなりません。教えられた後に、「経験」をとおして、「できる」にする必要があります。

**図6-25 「気づきの３段階」と「できる・できない」**

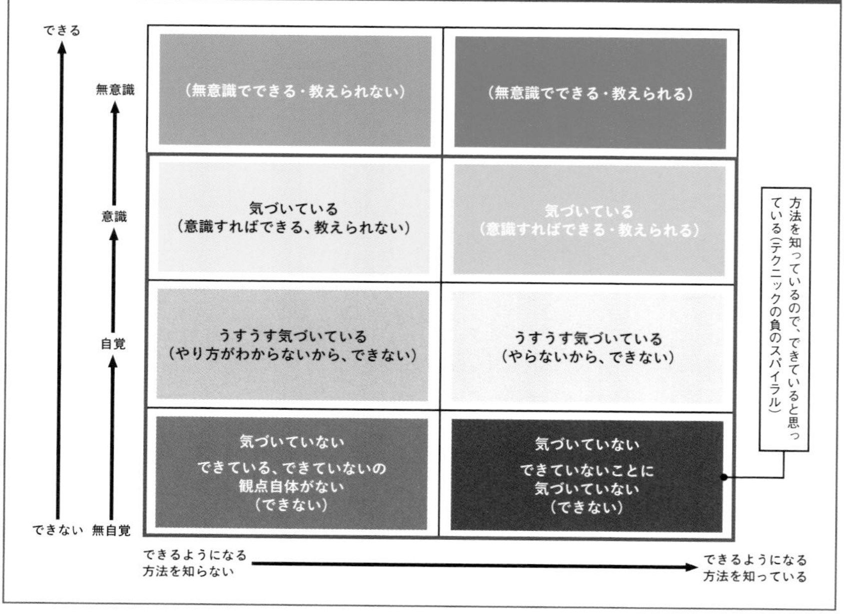

## 「できること」＝「求められていること」を積み上げる

シゴトの種類に関わらず、「仕事にする」には、周りから求められている必要があります。「できること」＞「求められていること」になれば、仕事の選択の幅が広がり、選択の幅が広がれば、その中から「やりたいこと」が見つかりやすくなると考えています。

**図6-26　できること＝求められていること**

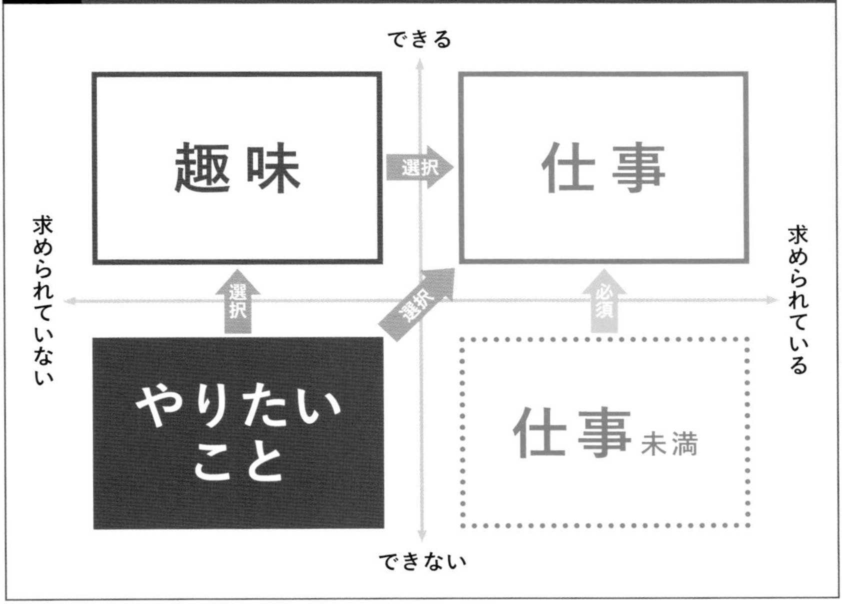


心地よい「働き方」を実現・維持するには、定期的に「働き方」や「シゴト」を見直すことが必要です。その際、「やりたいこと」＝「できること」＝「求められていること」の公式や図6-26、図6-27のようなマトリックスを使って、ジブンのシゴトを整理します。

求められている「やりたいこと」をシゴトにしたい場合、「やりたいこと」≠「できること」なのであれば、その要因が「働く環境」によるものなのか、「ジブンの能力」によるものかを整理し、「やりたいこと」＝「できること」に変えていきます。

**図6-27　やりたいこと＝できること**

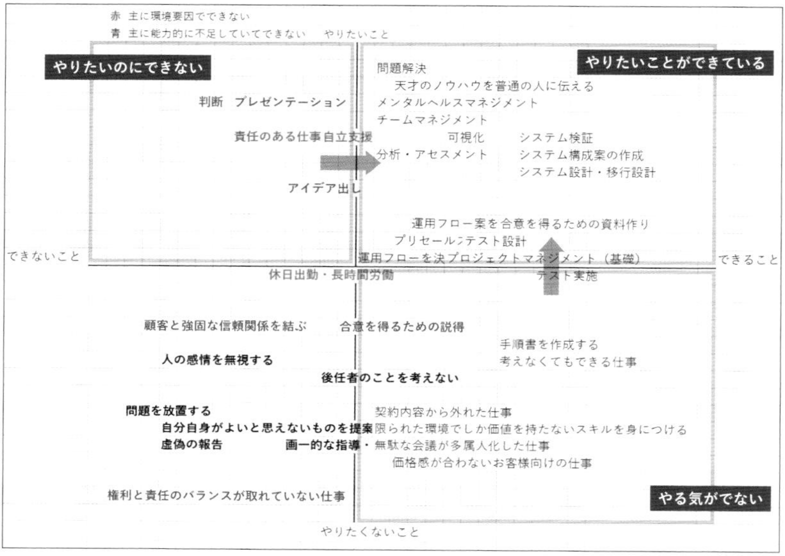


## 「行動習慣」を決める

「スキル」を磨くには、日ごろの「行動習慣」が重要だと考えています。本書では最後に、５つの行動習慣を紹介します。

### 習慣①：言葉を定義する（言葉の定義を確認する）

「あなたの意見は、主観的です。客観的に考えてください。」と言われた場合、どのように反応しますか？　４章で「言葉のイメージ」について説明しましたが、「主観的」「客観的」も、「主観的≒個人の思い込み」＜「客観的≒事実に基づく」と、優劣で考えがちな言葉です。しかし、相手の意図する「客観的」が必ずしも「事実」に基づいているとは限りません。

このように、日ごろ、便利に使う「言葉」ほど、注意が必要です。誰かの「言葉」に違和感を覚えたり、感情的にモヤモヤ、イライラを感じたりした場合、相手の「言葉」の定義を確認することで、解釈のギャップを埋めやすくなります。

**習慣②：前提条件を確認する**

前提条件を確認する習慣は、不快な時間やムダな時間を減らしてくれます。たとえば、「できる」が必要とされる場面で、「できること」≠「求められていること」になってしまうのは、お互いの「できる」の基準、前提条件が一致していないからです。

話し合って、何かを決めるときに、最初に、以下の３つの確認をします。

①相手の希望・期待値を具体的に確認する

（例：あなたが期待されることは、○○であっていますか？）

②相手がどこまで知っていて、知らないことは何かを確認する

（例：○○について、××までご存じという認識であっていますか？）

③相手が賛成する条件・反対する条件を確認する

（例：○○について、賛成条件や反対条件を教えてください。）

**習慣③：調べる前に考える**

簡単に「①知る」ができるようになった弊害として、「②理解する」→「③できるようになる」を通らず、「①知る」＝「③できる」と勘違いしてしまうことがあります。インターネットで検索する前に、仮説をたて、ジブンの言葉で定義してから検索すると、思考力が磨かれ、仮説を立てるスキルが身につきます。

**習慣④：毎日、変化を見つける**

「変化の先読み」「変化の先取り」スキルを身につけるには、アンテナをはって、変化に気づく力、変化を感じ取る力を磨くことが必要です。毎日、新しい変化を１つ以上見つけるようにします。

**習慣⑤：ジブンがやりたくないことは、ヒトにやらせない**

自分のシゴトを減したとき、その分誰かのシゴトが増えていたら、それは業務改善ではありません。ちょっとしたオペレーションの面倒臭さ、制度の見直しが必要だと思うことなど、「事実」と「意見＋改善案」を多くの仲間と共有します。たとえば、Yammerに投稿して、全社で共有します。そうすると、同じことを感じていた同僚がコメントをくれたり、関連する課題が追加されたり、組織やチームの課題が可視化されます。可視化された課題を改善することで、より心地よく働くための環境を実現します。

# 索引

## アルファベット



## あ行



## か行



## さ行

## 椎野磨美（しいの まみ）

新卒でNEC入社後、人材育成・研修業務に従事。日本マイクロソフトでシニアソリューションスペシャリストとして従事した後、日本ビジネスシステムズ（JBS）にて社員が働きやすい環境作り、組織開発・研修業務を推進。2017年働き方改革成功企業ランキング、初登場22位の原動力となる。2020年5月より株式会社環（KAN）CHO（チーフハピネスオフィサー）として、顧客と自社の組織開発・IT人材開発、コミュニティ自走支援など、社員が幸せになる働き方改善業務に従事。「Secure System Training Tour 2004」では、Microsoft 認定トレーナーの中から顧客満足度が高いトレーナー（第2位）として表彰された。また「Windows女子部」創設者としても、セミナーやワークショップを全国で開催している。これからの時代の働き方を取り入れたパラレルキャリア・ワーケーションの実践者としても、多くのビジネスパーソンの生産性とモチベーション向上につながるメッセージを発信し続けている。

【ブログ】https://blogs.itmedia.co.jp/shiinomami/



- 装丁／西垂水敦・市川さつき（krran）
- 本文デザイン／斎藤 充（クロロス）
- DTP／田中 望（Hope Company）
- 企画／傳 智之　• 担当／藤本広大


**お問い合わせに関しまして**

本書に関するご質問は、本書に記載されている内容に関するもののみとさせていただきます。本書の内容を超えるものや、本書の内容と関係のないご質問につきましては、一切お答えできませんので、あらかじめご了承ください。電話でのご質問は受け付けておりませんので、ウェブの質問フォームにてお送りください。FAXまたは書面でも受け付けております。ご質問の際に記載いただいた個人情報は、質問の返答以外の目的には使用いたしません。また、質問の返答後は速やかに削除させていただきます。

**質問フォームのURL**

https://gihyo.jp/book/2022/978-4-297-13105-0
※本書内容の訂正・補足についても上記URLにて行います。あわせてご活用ください。


**FAXまたは書面の宛先**

〒162-0846　東京都新宿区市谷左内町21-13
株式会社技術評論社　書籍編集部
「Teams仕事術［改訂新版］」係
FAX：03-3513-6183



# Teams《ちーむず》仕《し》事《ごと》術《じゅつ》［改《かい》訂《てい》新《しん》版《ばん》］

2022年11月４日　初版　第１刷発行

技術評論社Webサイト

著　者　椎《しい》野《の》磨《ま》美《み》
発行者　片岡巌
発行所　株式会社技術評論社
東京都新宿区市谷左内町21-13
電話　03-3513-6150　販売促進部
03-3513-6166　書籍編集部
印刷／製本　日経印刷株式会社

定価はカバーに表示してあります。



本書の一部または全部を著作権法の定める範囲を超え、無断で複写、複製、転載、テープ化、ファイルに落とすことを禁じます。

©2022　椎野磨美



造本には細心の注意を払っておりますが、万一、乱丁（ページの乱れ）や落丁（ページの抜け）がございましたら、小社販売促進部までお送りください。送料小社負担にてお取り替えいたします。

ISBN978-4-297-13105-0 C3055
Printed in Japan